To Jean Lepage and Réginald Poirier
who shared with me the great adventure of photographing
Canada's northern landscapes, peoples and culture.

À Jean Lepage et Réginald Poirier qui m'ont accompagné dans cette
merveilleuse aventure au cours de laquelle nous avons eu le plaisir de photographier
les paysages du Nord canadien, ses peuples et leurs cultures.

TABLE OF CONTENTS

TABLE DES MATIÈRES

PREVIOUS PAGE

A stalwart inuksuk welcomes the night. Traditionally, this structure has always let travellers know they were on the right path.
Cape Dorset, Nunavut

PAGE PRÉCÉDENTE

Un valeureux inuksuk attend la nuit. Depuis toujours, ces sculptures de pierre servent de repère aux voyageurs en leur indiquant la route à suivre.
Cape Dorset, Nunavut

Design and captions by Catharine Barker
National Graphics, Toronto, ON Canada

Copy Editor (English): E. Lisa Moses

French translation and editing: Line Thériault and Guy Thériault

Nimbus Publishing Limited
PO Box 9166, Halifax, NS Canada B3K 5MB
Tel.: 902 455-4286

Printed in China

Library and Archives Canada Cataloguing in Publication

Fischer, George, 1954-, photographer

Canada, the exotic North : Northwest Territories & Nunavut = Canada, l'exotisme du Nord : Territoires du Nord-Ouest & Nunavut / George Fischer.

Includes index.

Text in English and French.

ISBN 978-0-9936941-1-0 (bound)

1. Northwest Territories–Pictorial works. 2. Nunavut–Pictorial works. I. Fischer, George, 1954- . Canada, the exotic North. II. Fischer, George, 1954- . Canada, the exotic North. French. III. Title. IV. Title: Canada, l'exotisme du Nord.

FC3956.F58 2015 971.90022'2 C2015-901611-8E

Maquette et légendes réalisées par Catharine Barker
National Graphics, Toronto, ON Canada

Révision (anglais) : E. Lisa Moses

Traduction et révision (français) : Line Thériault et Guy Thériault

Nimbus Publishing Limited
C. P. 9166 Halifax, NE Canada B3K 5MB
Tél. : 902 455-4286

Imprimé en Chine

Catalogage avant publication de Bibliothèque et Archives Canada

Fischer, George, 1954-, photographe

Canada, the exotic North : Northwest Territories & Nunavut = Canada, l'exotisme du Nord : Territoires du Nord-Ouest & Nunavut / George Fischer.

Comprend un index.

Texte en français et en anglais.

ISBN 978-0-9936941-1-0 (relié)

1. Territoires du Nord-Ouest–Ouvrages illustrés. 2. Nunavut–Ouvrages illustrés. I. Fischer, George, 1954- . Canada, the exotic North. II. Fischer, George, 1954- . Canada, the exotic North. Français. III. Titre. IV. Titre: Canada, l'exotisme du Nord.

FC3956.F58 2015 971.90022'2 C2015-901611-8F

GEORGE FISCHER

CANADA

THE EXOTIC NORTH
NORTHWEST TERRITORIES & NUNAVUT

L'EXOTISME DU NORD
TERRITOIRES DU NORD-OUEST & NUNAVUT

verdiroc.com

greenwin.ca

PRIME MINISTER · PREMIER MINISTRE

Canada: The Exotic North – Northwest Territories & Nunavut is a beautiful collection of iconic images. From snow-capped peaks to glistening ice floes, the Northwest Territories and Nunavut boast some of our country's most splendid vistas.

Captured by George Fischer's gifted lens, these photographs reveal our North in all its grandeur. They show us a terrain of sharp contrasts and boundless potential. It is a region where the stamp of nature is ever-present and where our relationship with the environment is tangible.

I have been privileged to visit Canada's North and witness its marvellous scenes. I have also been honoured to meet the hardy Canadians who call it home.

This collection is truly a treasure. I hope it provides a window to a region of Canada blessed with beauty and potential – a region that defines us as Canadians.

The Rt. Hon. Stephen Harper, P.C., M.P.
Prime Minister of Canada

Sharp granite peaks form the Cirque of the Unclimbables, a section of the remote Ragged Range.
Northwest Territories

Au loin se dressent les pitons de granite du Cirque of the Unclimbables qui fait partie de la chaîne de montagnes Ragged.
Territoires du Nord-Ouest

PRIME MINISTER · PREMIER MINISTRE

Le livre *Canada : L'exotisme du Nord – Territoires du Nord-Ouest & Nunavut* est un magnifique recueil d'images emblématiques. De leurs pics enneigés à leurs ilots de glace miroitants, les Territoires du Nord-Ouest et le Nunavut nous offrent certains des panoramas les plus splendides de notre pays.

Saisies par l'objectif du talentueux George Fischer, ces photographies révèlent notre Nord dans toute sa grandeur. Elles nous montrent une terre aux contrastes frappants et au potentiel illimité. Une région où la force de la nature est omniprésente et où notre rapport à l'environnement est concret.

J'ai eu le privilège de visiter le Nord canadien et de contempler ses paysages merveilleux. J'ai également eu l'honneur de rencontrer les braves Canadiens qui y demeurent.

Ce recueil est un véritable trésor. J'espère qu'il saura mettre en lumière une région du Canada qui recèle de beauté et de possibilités – une région qui nous définit comme Canadiens.

Le très hon. Stephen Harper, C.P., député
Premier ministre du Canada

John Geiger, chef de la direction de la Société géographique royale du Canada, en compagnie du premier ministre Stephen Harper

John Geiger, CEO of the Royal Canadian Geographical Society, with Prime Minister Stephen Harper

Nature's ice sculptures in Igloolik lead the way to the water.
Nunavut

À Igloolik, la nature a façonné des sculptures de glace qui mènent à l'eau.
Nunavut

FOLLOWING PAGES | PAGES SUIVANTES

As the morning haze drifts away in Auyuittuq National Park, layers of pinnacles emerge. This *land that never melts* (Inuktitut) boasts the highest peaks of the Canadian Shield.
Baffin Island, Nunavut

Dans le parc national Auyuittuq, la brume matinale se dissipe, laissant ainsi entrevoir une série de crêtes saillantes. Ce lieu où *la terre ne fond jamais* (en inuktitut) renferme les plus hautes montagnes du Bouclier canadien.
Île de Baffin, Nunavut

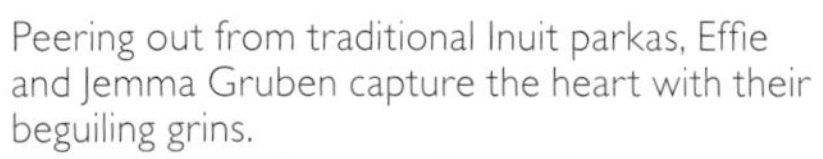

Peering out from traditional Inuit parkas, Effie and Jemma Gruben capture the heart with their beguiling grins.
Tuktoyaktuk, Northwest Territories

Bien emmitouflées dans leur traditionnelle parka inuite, Effie et Jemma Gruben ont un sourire à faire fondre la banquise.
Tuktoyaktuk, Territoire du Nord-Ouest

When I arrived in Nunavut, I was armed with a plan, a schedule and solid goals. But I soon learned that the North moves to its own rhythm, and that to succeed, I had to go with the flow. That meant tossing my itinerary out the window and expecting the unexpected.

One of the key success factors in creating my photo books is preparing well in advance and following a rigorous routine. Before any photography assignment, I spend considerable time researching the subject matter, the environment and the destination. This includes gauging where and when the sun rises and sets to capitalize on the best lighting. It means determining what subjects and locations are essential to capturing the feel of a place. And it involves reading other travel and photography books to help me picture the destination so that when I arrive, I hit the ground running.

Once my research is complete, I prepare a detailed daily itinerary that matches subjects to times of day and locations. Working my way through the list, I scratch off items one by one as they are completed. This has been my *modus operandi* and it has worked well – except for the Arctic.

Upon my arrival there, I became painfully aware that schedules, itineraries, flights – pretty well anything that involved planning – had a different sensibility in the North. This was expressed in the mantra: "Well… it's the North" (code for "anything goes" and "forget about schedules, timeframes and plans").

The only way I could make my Nunavut and Northwest Territories (NWT) photo assignment flow smoothly was to throw my "always" behaviour out the window and succumb to the cadence of the North. This meant putting my faith in serendipity, being patient and taking the unexpected in stride.

It's always good to check your bearings at the Arctic Circle.
Repulse Bay, Nunavut

Danser au rythme de l'Arctique

Je suis arrivé au Nunavut bien préparé et muni d'un plan de match, d'un horaire et d'objectifs bien précis. Sur place, j'ai rapidement constaté que le Nord vit à son propre rythme et qu'il me faudrait suivre le courant. Mon itinéraire ne servirait à rien et j'allais devoir m'attendre à l'inattendu.

Une préparation méticuleuse assortie d'un plan de match rigoureux a toujours été un facteur de succès clé dans la réalisation de mes livres de photos. Avant chaque expédition, je consacre beaucoup de temps à l'étude du sujet, de l'environnement et de la destination. Pour profiter des meilleurs éclairages, je note les endroits et les moments où le soleil se lève et se couche. Je choisis les sujets et les endroits qui traduisent le mieux l'essence d'un lieu. Et enfin, je consulte aussi d'autres livres de voyages et de photos pour me faire une bonne idée de la destination et démarrer avec une longueur d'avance.

La recherche terminée, je dresse un itinéraire quotidien détaillé qui situe les sujets dans des temps et des lieux donnés. Au fur et à mesure que les choses à faire sont effectuées, elles sont rayées de la liste. Cette façon de procéder m'a toujours bien servi – sauf dans l'Arctique.

Dès mon arrivée dans le Nord, j'ai tout de suite compris que les horaires, les itinéraires, les vols – en somme tout ce qui nécessite une certaine organisation préalable – allaient prendre un tout autre sens dans le Nord. On vous explique : « Ici, c'est le Nord… » (Ce qui signifie : « Tout peut arriver. » et « Oubliez vos horaires, vos délais et vos plans. »)

J'ai compris que pour assurer le bon déroulement de mon expédition au Nunavut et dans les Territoires du Nord-Ouest, j'allais devoir rompre avec mes bonnes vieilles habitudes et adopter la cadence du Nord. J'allais devoir faire confiance au heureux hasard, m'armer de patience et m'attendre à l'inattendu.

Il est toujours prudent de vérifier sa position lorsqu'on se trouve dans le cercle polaire arctique.
Baie Repulse, Nunavut

PREVIOUS PAGES | PAGES PRÉCÉDENTES

Auyuittuq National Park was established in 1976. Its pristine wilderness is preserved and managed jointly by Parks Canada and the Inuit.
Auyuittuq National Park, Baffin Island, Nunavut

La création du parc national Auyuittuq remonte à 1976. La préservation et la gestion de cette aire naturelle sauvage sont le fruit d'une collaboration entre Parcs Canada et les Inuits.
Parc national Auyuittuq, île de Baffin, Nunavut

Waterfalls tucked away on Dorset Island intrigue visitors with their craggy beauty.
Near Cape Dorset, Nunavut

Les visiteurs sont captivés par la beauté escarpée des chutes d'eau qui se nichent au cœur de l'île Dorset.
Près de Cape Dorset, Nunavut

The cascade of McLuhan Creek Falls ends in a terrific spray, putting on a world-class show along the Waterfalls Route.
Northwest Territories

En suivant la route des Chutes, les visiteurs découvrent le spectacle inouï des chutes d'eau de McLuhan qui se déversent avec force et fracas.
Territoire du Nord-Ouest

Mesmerizing colours and music blur together during traditional dance and drumming performances at the Great Northern Arts Festival.
Inuvik, Northwest Territories

Enchevêtrement envoûtant de couleurs et de musique lors des traditionnels spectacles de danse et de tambours qui se déroulent dans le cadre du Great Northern Arts Festival.
Inuvik, Territoire du Nord-Ouest

Elder Elaija Magitak wears a traditional *amauti* adorned with ornate beadwork.
Cape Dorset, Nunavut

Elaija Magitak, une ainée, porte le traditionnel *amauti* orné de perles.
Cape Dorset, Nunavut

Curiosity engages two young girls long enough to pose for a photo.
Cape Dorset, Nunavut

Piquées par la curiosité, deux fillettes s'immobilisent le temps d'une photo.
Cape Dorset, Nunavut

FOLLOWING PAGES | PAGES SUIVANTES

Waves of mist sweep through the barren rock of the Arctic Cordillera mountain range, which stretches from Ellesmere Island to Labrador.
Nunavut

Un épais brouillard enveloppe les parois rocheuses de la chaîne de montagnes de la Cordillère arctique qui s'étire de l'île Ellesmere jusqu'au Labrador.
Nunavut

I am honoured to play a part in raising awareness about Canada's Great North, home to exotic wilderness and wildlife, and genuine, warm-hearted people. And I'm pleased to see how skillfully George Fischer's images capture the spirit and culture of both the Northwest Territories (NWT) and Nunavut, which stretch north of Québec, Ontario and the prairies to the top of Ellesmere Island.

I have also been fortunate to work with Parks Canada and Dehcho First Nations to promote the massive expansion of Nahanni National Park Reserve of Canada to 30,050 square kilometres (18,672 square miles) – nearly the size of Vancouver Island – from fewer than 5000 square kilometres (3100 square miles). This is an important step toward protecting the treasures of this remarkable watershed. In 2009, I met with Prime Minister Stephen Harper to advocate for a better transportation infrastructure to facilitate tourism to the north. My gift to him was a copy of George's photography book *Unforgettable Canada,* which highlights parts of the North.

Having been a resident of the Northwest Territories since 1976, I have lived through many one-of-a-kind experiences. I'm pleased to share some of these with you, and am honoured to have these historical highlights preserved in this exceptional book.

BEFORE NAHANNI

A farm between Winnipeg, Manitoba and Portage la Prairie may seem an unlikely place to develop a craving for Canada's North and for bush planes. But growing up there in a family that flourished on stories and history ignited that passion and shaped my future.

I was raised on tales of heroes, adventure and nature. My grandfather's cousin Wop May, for example, was a WWI flying ace and the last allied fighter pilot pursued by the Red Baron before he got shot down. After the war, Wop May became a bush pilot in Canada's glorious North. Our neighbour's two-seater plane was also fodder for my fantasies, as was a memorable visit from a cousin in the Royal Canadian Mounted Police (RCMP). When I was about six years old, this cousin arrived wearing the dashing red RCMP serge – and from that point forward, I knew that I, too, had to be a Mountie.

My dreams of wearing the red serge and flying and seeing Canada have all come true. On my 19th birthday, I joined the RCMP and was posted to Saskatchewan directly after training. There, I took up piloting and bought my first airplane, a 1948 Stinson with wheels, skis and floats. As my vision of exploring Canada grew, I applied for a transfer and was posted to the Northwest Territories where I fell in love with Canada's North and decided to stay.

I had taken my Stinson with me and that was a fateful decision, since it attracted the attention of someone who would change my life. Dick Turner, a pioneering Nahanni outfitter and author, had noticed my float plane docked on the river in front of the RCMP detachment. He called one evening to introduce himself and invite me to join him at 6 a.m. the next morning on a flight into the Nahanni region. "I'll save the front seat of the Cessna 185 for you," he said. I switched my shift and flew with Dick throughout the Nahanni to MacMillan, Clark and Rabbitkettle lakes. We hiked to the bottom of Virginia Falls, and I snapped a photo of him with the falls in the background that he published in his book, *Wings of the North.*

Over supper that night, Dick recounted a story about the birth of his first child. When his wife, Vera, was about to deliver and needed to get to the hospital in Edmonton, an old bush pilot named Wop May flew her there in -29°C (-20°F) temperatures in an ancient plane that had no heat. When I told Dick that the old bush pilot was a relative, it sealed a friendship that lasted until his death.

WORKING THE RED SERGE

As a member of the RCMP, I had some interesting assignments that included greeting and hosting dignitaries and royalty from around the world who wanted to see Canada's northernmost settlement, Grise Fiord (Inuktitut for "place that never thaws") on Ellesmere Island. Among these were Britain's Prince Andrew, Denmark's Princess Margrethe (now Queen) and Sir Edmund Hillary (first to climb Mount Everest).

One thing I learned during my Arctic stints is to roll with the vagaries of Nature, and to expect the unexpected. This was never truer than in the spring of 1977 when we were told one evening to expect a Twin Otter plane full of "golfers" coming to play in the "Ellesmere Island Golf Tournament." There was no golf course and certainly no tournament, so we suspected the players just wanted to party. Nevertheless, the settlement manager, Mike Vaydik, and I designed a nine-hole course near the airstrip and started building it at 3 a.m. that morning. To finish the first hole, we had to jump across a half-metre-wide (two-foot) creek, the settlement's summer freshwater supply. By 3 p.m., the spring thaw had turned the creek into a raging five-metre (16-foot) torrent. So the only thing left to do was to party hearty. None of the guests complained.

In the winter months, we depended on icebergs for our water supply. We would drive across the frozen Jones Sound and chop ice for thawing. One autumn, when the NWT Commissioner, Stu Hodgson, came to visit, there were no icebergs on the horizon that promised winter water, so he ordered a 1.1-million-litre (300,000-gallon) water tank to be brought in that could ensure an ongoing supply. No sooner had he left than one of the biggest icebergs we had ever seen floated up to the settlement. We wasted no time in capturing this treasure, stringing a large steel cable around it and pulling it close to shore where it froze in place during the winter. This was a lucky happenstance, since it meant no trips across Jones Sound to chop ice.

GROWING INTO NAHANNI

After retiring from the RCMP, I moved back to the picturesque Dene village of Fort Simpson and bought Simpson Air, a small charter airline (formerly Arctic Air). Our work was mainly flying tourists around the Nahanni area, servicing the Prairie Creek Mine, flying locals to and from remote locations that were accessible only by air, and fighting forest fires in the region.

Today, our clients are adventurers and explorers: some come to study the environment and others, like George, come to photograph the natural wonders. I was happy to show him around and point out the most photogenic spots. I got to know him much better when he and his assistant were grounded for three days in Fort Simpson, waiting for a dense fog to lift. On George's next trip to build on his already extensive image bank of Nahanni, my pilots flew him into some lesser-known areas and municipalities to capture the extraordinary spirit of the North and its people.

Among the greatest pleasures of Arctic life are the pristine wilderness, untouched areas and lodge living. Ever since my dad took me out of school occasionally to hunt and fish, I had dreamed of owning a fishing lodge. My favourite – on Little Doctor Lake – had been owned by a true northern pioneering couple, Gus and Mary Kraus. When the late Prime Minister Pierre Elliott Trudeau canoed the South Nahanni River in 1970, he was so enthralled with the area that he decided to create a national park, returning later to Kraus Hot Springs to consult with Gus and Mary about the park boundaries.

Noticing that their original house would be inside the planned park, they moved out to preserve the park's requirements, building their homestead on Little Doctor Lake.

NAHANNI TODAY: A SPIRITED WELCOME

Gus and Mary agreed to sell me the lodge and then built a cabin farther down the lake for themselves. We all knew that I would conscientiously preserve the integrity of the wilderness. Today, we fly visitors into what is now called Nahanni Mountain Lodge to savour serenity, solitude and a wilderness paradise.

Acclaimed as Canada's premier wilderness river national park, Nahanni National Park Reserve of Canada is a magnet for adventure-seekers who enjoy whitewater canoeing, kayaking, rafting and hiking. For a softer adventure, visitors can take a day trip into Virginia Falls on a charter plane.

The word *Nahanni* originates from the Dehcho First Nations word *naha* (the people who roamed through the mountain and valley). And if you are interested in roaming through the mountain and valley – especially by air – I'd be pleased to serve as your host.

— Ted Grant, *Simpson Air*

C'est un honneur de pouvoir contribuer à mieux faire connaître le Grand Nord canadien, cette région marquée par une flore et une faune exotiques et un accueil authentique. Je suis heureux de voir avec quel talent George Fischer a su saisir en image l'esprit et la culture des Territoires du Nord-Ouest et du Nunavut, régions qui s'étendent au nord du Québec, de l'Ontario et des Prairies canadiennes, jusqu'à l'extrémité de l'île Ellesmere.

Avec Parcs Canada et les premières nations du Dehcho, j'ai participé à la promotion d'une importante expansion de la réserve de parc national Nahanni. Sa superficie de moins de 5 000 km^2 (3 100 mi^2) est passée à 30 050 km^2 (18 672 mi^2) – presque l'équivalent de l'île de Vancouver. Il s'agissait là d'une étape importante pour la protection de la richesse de ce remarquable bassin versant. En 2009, j'ai rencontré le premier ministre Stephen Harper pour l'entretenir d'un projet en vue d'optimiser les infrastructures de transport et ainsi faciliter le tourisme dans le Nord. Je lui ai alors offert un exemplaire du livre de photos de George intitulé *Unforgettable Canada*, dans lequel certaines régions du Nord sont mises à l'honneur.

Depuis 1976, j'habite les Territoires du Nord-Ouest et j'y ai vécu beaucoup d'expériences uniques. Je suis heureux d'en partager quelques-unes avec vous et d'avoir la chance de consigner des moments marquants dans ce livre exceptionnel.

Le récit de Ted

AVANT NAHANNI

Il peut paraître étonnant qu'une passion pour le Nord canadien et les avions de brousse ait pris naissance dans une ferme du Manitoba, entre Winnipeg et Portage la Prairie. Pourtant, c'est bien là que j'ai grandi, dans une famille férue de récits et d'histoire. C'est là que ma passion est née et elle a façonné mon avenir.

Les récits, leurs héros et leurs aventures – et aussi la nature – ont habité mon enfance. Par exemple, il y avait Wop May, un cousin de mon grand-père et un as de l'aviation durant la Première Guerre. Il a été le dernier pilote que le Red Baron a pris en chasse avant d'être abattu. Après la guerre, il est devenu pilote de brousse survolant le splendide Nord canadien. L'avion à deux places de notre voisin a aussi nourri mon imagination. De même que la visite d'un cousin membre de la Gendarmerie royale du Canada (GRC). J'avais environ six ans quand il est arrivé vêtu de la fameuse tunique rouge. Dès lors, j'ai su que, moi aussi, j'allais devenir agent de la GRC.

Mes grands rêves – porter la tunique rouge, piloter un avion et parcourir le Canada – se sont tous réalisés. Je me suis enrôlé dans la GRC à dix-neuf ans. Ma formation terminée, j'ai obtenu un poste en Saskatchewan. C'est là que j'ai reçu mon brevet de pilote et que j'ai acheté mon premier avion, un Stinson 1948 doté de roues, de skis et de flotteurs. Mon désir d'explorer le Canada ne cessait de grandir. J'ai été muté dans les Territoires du Nord-Ouest et, conquis par le charme du Nord canadien, je m'y suis installé.

Mon Stinson m'a suivi. Et c'est précisément la présence de mon avion qui a attiré l'attention d'une personne qui allait changer ma vie. En effet, Dick Turner qui est un auteur et l'un des premiers pourvoyeurs de la Nahanni, avait remarqué mon Stinson sur la rivière, près du poste de la GRC.

Un soir, il m'a appelé et s'est présenté. Il m'a invité à l'accompagner, le lendemain matin à 6 heures, pour un vol dans la région de la Nahanni. « Je te réserve le siège avant du Cessna 185 », m'a-t-il dit. Je me suis fait remplacer au travail et, le lendemain, j'ai survolé avec lui la rivière Nahanni, jusqu'aux lacs MacMillan, Clark et Rabbitkettle. À pied, nous nous sommes rendus près des chutes Virginia. Là, j'ai pris une photo de Dick avec les chutes en arrière-plan. La photo a été publiée dans son livre intitulé *Wings of the North*.

Ce soir-là, Dick m'a raconté les péripéties entourant la naissance de son premier enfant. Le moment d'accoucher venu, sa femme Vera devait se rendre à l'hôpital d'Edmonton. Elle a voyagé dans un vieil avion non chauffé et par une température de -29 °C (-20 °F). Le vieux pilote de brousse aux commandes de l'avion s'appelait Wop May. Quand j'ai appris à Dick que j'étais parent avec Wop May, une solide amitié est née entre nous et elle a duré jusqu'à sa mort.

TUNIQUE ROUGE AU TRAVAIL

Comme agent de la GRC, je me suis vu confier des tâches intéressantes, dont celles d'accueillir et d'accompagner des dignitaires et des membres de diverses familles royales venus de partout dans le monde pour visiter Grise Fiord (en inuktitut, « le lieu qui ne dégèle jamais »), dans l'île Ellesmere. Grise Fiord est la communauté la plus au nord du Canada. Parmi ces visiteurs figuraient le prince britannique Andrew, la princesse Margrethe (aujourd'hui reine du Danemark) et Sir Edmund Hillary, premier à réussir l'ascension du mont Everest.

Mes séjours dans l'Arctique m'ont appris à me plier aux caprices de la nature et à m'attendre à l'inattendu. Cela s'est confirmé quand, au printemps de 1977, on nous a annoncé la venue d'un bimoteur chargé de golfeurs qui venaient participer au « tournoi de golf de l'île Ellesmere ». Comme il n'y avait ni terrain de golf ni tournoi, nous avons conclu que ces visiteurs venaient faire la fête. Néanmoins, le directeur de l'établissement Mike Vaydik et moi-même avons décidé d'aménager un terrain de neuf trous près de la piste d'atterrissage. Nous avons commencé à y travailler à 3 heures du matin. Pour atteindre le premier trou, il fallait franchir un ruisseau d'un demi-mètre (2 pieds) de largeur. Ce ruisseau était notre source d'eau fraîche durant l'été. Au milieu de l'après-midi, le dégel printanier avait transformé le petit ruisseau en un violent torrent d'une largeur de cinq mètres (16 pieds). Notre seule autre option était de faire la fête. Pas un seul visiteur n'a trouvé à s'en plaindre.

Durant les mois d'hiver, les icebergs nous fournissaient l'eau fraîche. Nous traversions la surface gelée du détroit de Jones pour aller chercher une provision de glace à faire fondre. Une journée d'automne, nous eûmes la visite de Stu Hodgson, commissaire des Territoires du Nord-Ouest, alors qu'aucun iceberg n'était encore apparu à l'horizon pour nous livrer l'eau en prévision de l'hiver. Le commissaire a aussitôt commandé un réservoir d'un million de litres

(300 000 gallons) d'eau qui assurerait une réserve suffisante. Il n'était pas aussitôt parti qu'un des plus gros icebergs que nous ayons jamais vus s'est pointé au large. Nous avons aussitôt attrapé ce trésor avec un grand câble d'acier et nous l'avons tiré près de la côte. Il est resté pris dans la glace tout l'hiver. Grâce à cet heureux hasard, nous n'avons pas eu à traverser le détroit de Jones en quête de glace.

NAISSANCE DE LA NAHANNI

À ma retraite de la GRC, je me suis installé dans le pittoresque village Déné de Fort Simpson et j'ai acheté Simpson Air, une petite compagnie charter (autrefois appelée Arctic Air). Les principales activités de la compagnie étaient le transport de touristes dans la Nahanni, l'approvisionnement de la mine Prairie Creek, le transport d'habitants de localités autrement inaccessibles et la lutte contre les feux de forêt.

Aujourd'hui, nos clients viennent chercher l'aventure ou explorer. Certains viennent étudier l'environnement. D'autres, comme George, viennent y photographier les merveilles de la nature. J'ai été heureux de conduire George dans des endroits particulièrement photogéniques. J'ai appris à mieux connaître George et son assistant durant les trois jours où ils sont restés cloués au sol à Fort Simpson en raison d'un épais brouillard. Lors d'un autre voyage, mes pilotes l'ont accompagné dans des lieux et des localités moins connus, permettant à George d'enrichir davantage sa collection d'images de la Nahanni. Il a pu y saisir l'esprit extraordinaire qui anime le Nord et ses habitants.

Parmi les plus grands plaisirs d'un séjour dans l'Arctique, il y a la nature à l'état pur des régions encore vierges, et la vie dans un pavillon. Depuis le jour où mon père m'exemptait parfois de l'école pour l'accompagner à la pêche ou à la chasse, j'ai rêvé d'être propriétaire d'un pavillon de pêche. Mon pavillon préféré était en bordure du lac Little Doctor et appartenait à un couple de pionniers dans le domaine, Gus et Mary Kraus. En 1970, le premier ministre d'alors, Pierre Elliot Trudeau, a fait du canot sur la rivière Nahanni Sud. Sous le charme de la région, il a décidé d'y créer un parc national et il est même venu plus tard à Kraus Hot Springs afin de consulter Gus et Mary relativement aux limites de ce parc.

Réalisant que leur propriété était située dans les limites du parc proposé, Gus et Mary, par souci de préserver l'intégrité du parc, ont décidé de déménager près du lac Little Doctor.

LA NAHANNI D'AUJOURD'HUI : UN ACCUEIL BIEN SENTI

Gus et Mary ont consenti à me vendre leur pavillon et se sont installés un peu plus loin sur le lac. Nous savions tous que j'aurais le souci de protéger l'intégrité de la nature. Aujourd'hui, nous transportons en avion les visiteurs jusqu'au pavillon rebaptisé Nahanni Mountain Lodge. Ils y trouvent la sérénité et la solitude d'un véritable paradis dans une nature grandiose.

Réputée comme parc canadien par excellence pour ses rivières encore vierges, la réserve de parc national du Canada Nahanni attire ceux en quête d'aventure et qui apprécient les randonnées ou les excursions en canot en eaux vives, en kayak ou en radeau pneumatique. Pour ceux qui préfèrent une aventure plus paisible, un avion peut les emmener passer la journée près des chutes Virginia.

Le terme *Nahanni* vient du mot *naha*, un terme du vocabulaire des Premières Nations du Dehcho. Il désigne le peuple qui fréquente la montagne et la vallée. S'il vous prend l'envie de parcourir cette montage et cette vallée, particulièrement en avion, je serai ravi de vous accueillir.

— Ted Grant, *Simpson Air*

PREVIOUS PAGES | PAGES PRÉCÉDENTES

Dropping in tiers, Louise Falls is the largest waterfall in the Twin Falls Gorge Territorial Park and a must-see spot along the Waterfalls Route.
Northwest Territories

Dévalant en cascades, les chutes Louise sont les plus grandes du parc territorial Twin Falls Gorge. Elles représentent une attraction incontournable le long de la « route des Chutes ».
Territoire du Nord-Ouest

In the ever-changing arctic landscape, the interplay of snow and ice creates ongoing drama.
Hall Beach, Nunavut

Dans un paysage arctique en constante évolution, le jeu de la neige et des glaces offre un perpétuel spectacle.
Hall Beach, Nunavut

A polar bear ice sculpture and an inuksuk mark the entrance to the RCMP headquarters in the territory's capital.
Iqaluit, Nunavut

Un inuksuk et la sculpture de glace d'un ours polaire marquent l'entrée du quartier général de la GRC situé dans la capitale du territoire du Nunavut.
Iqaluit, Nunavut

"It's the North."

Meaning: "You can't do anything about it."

– Everyone

Elder Joe Punch (pictured) and Edward Jumbo recently received the *Queen Elizabeth II Diamond Jubilee Medal* for their invaluable contributions to the community. Their generous spirits are highly appreciated by their neighbours in this tightly knit town.

Trout Lake,
Northwest Territories

L'ainé Joe Punch (photo) et Edward Jumbo ont récemment reçu la *Médaille du jubilé de diamant de la reine Elizabeth II* pour leur apport inestimable au sein de leur communauté. Dans cette collectivité très soudée, chacun apprécie leur grande générosité.

Lac Trout,
Territoire du Nord-Ouest

A good catch of Arctic char requires precise preparation to preserve the bounty.

Sylvia Grinnell Territorial Park,
Nunavut

Si l'on veut protéger la ressource, une bonne prise d'ombles chevaliers requiert une préparation minutieuse.

Parc territorial Sylvia Grinnell,
Nunavut

Cold, deep rivers are ideal for hooking Arctic char, a fish species unique to arctic waters. The base of the waterfall along the Sylvia Grinnell River is the perfect spot.

Sylvia Grinnell Territorial Park, Nunavut

Espèce indigène aux eaux de l'Arctique, l'omble chevalier adore les rivières froides et profondes. Les pêcheurs se régaleront au pied des cascades de la rivière Sylvia Grinnell.

Parc territorial Sylvia Grinnell, Nunavut

The meticulous carving of an Inuk hunter details the goggles used as protection against snow blindness – a serious side effect of the intense reflections from sunlight on snow.

Nunavut

Sur cette sculpture, une attention toute particulière a été portée aux lunettes qui protègent ce chasseur inuit contre la cécité des neiges – une affection grave causée par la réverbération du soleil sur la neige.

Nunavut

« *C'est le Nord.* »

Ce qui veut dire « On n'y peut rien. »

– Tout le monde

Masses of icebergs locked together create new surfaces to explore.
Arctic Bay, Nunavut

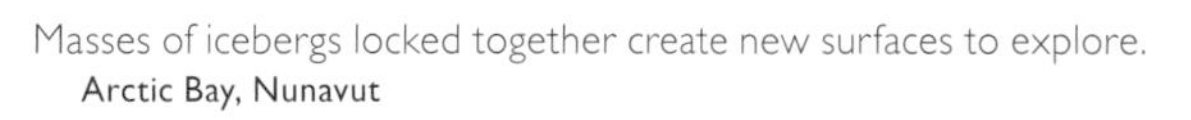

Cet immense enchevêtrement d'icebergs permet d'explorer de nouvelles surfaces.
Baie de l'Arctique, Nunavut

Immortalized by Iqaluit artist Jonathan Cruz, the visage of Mariano Aupilardjuk overlooks the community near the Nakasuk school. Aupilardjuk was an accomplished Rankin Inlet elder who dedicated his life to educating the world about Inuit culture and traditions. He also contributed to the carving of the official mace of the Legislative Assembly of Nunavut.

Iqaluit, Nunavut

Jonathan Cruz, un artiste d'Iqaluit, a immortalisé le visage de Mariano Aupilardjuk. Installée près de l'école Nakasuk, cette œuvre surplombe la communauté. Issu de Rankin Inlet, Aupilardjuk était un ainé très accompli qui a consacré sa vie à faire connaître la culture et les traditions inuites à travers le monde. Il a également participé à la sculpture de la masse officielle de l'Assemblée législative du Nunavut.

Iqaluit, Nunavut

David Aqqiaruq, an Inuk trapper, keeps warm in his parka – a coat invented by the Inuit and originally made from caribou hide or sealskin.

Igloolik, Nunavut

Le trappeur inuit David Aqqiaruq est à l'abri du froid grâce à sa parka. Conçu par les Inuits, ce manteau était à l'origine confectionné de peaux de caribou ou de phoque.

Igloolik, Nunavut

CO-OP

Canvas tents dot the rocky landscape at this summer getaway. Many Inuit enjoy camping during the warmer months to "get back to the land" – fishing and drying strips of Arctic char and recalling a simpler time.

Sylvia Grinnell Territorial Park, Nunavut

Des tentes de toile se dressent dans le paysage rocailleux de ce lieu d'évasion estivale. Pendant les mois les plus chauds, les Inuits en profitent pour camper et "effectuer un retour à la terre" – pêcher et faire sécher les filets d'omble chevalier et se remémorer une époque où tout était plus simple.

Parc territorial Sylvia Grinnell, Nunavut

Harsh weather sometimes attacks Pang, a hamlet of roughly 8 square kilometres (three square miles) on Baffin Island.
Pangnirtung, Nunavut

Les conditions sont parfois rudes à Pang, un hameau d'environ 8 kilomètres carrés (3 milles carrés) sur l'île de Baffin.
Pangnirtung, Nunavut

Colourful houses line up along Frobisher Bay, named after explorer Sir Martin Frobisher who discovered it in 1576.
Iqaluit, Nunavut

Des maisons colorées sises en bordure de la baie de Frobisher. Elle tient son nom de l'explorateur Sir Martin Frobisher qui l'a découverte en 1576.
Iqaluit, Nunavut

PREVIOUS PAGES | PAGES PRÉCÉDENTES

Sheer cliffs, narrow fjords and imposing mountains outline Akshayuk Pass, a spectacular trough in the Penny Highlands carved out by glaciers. This 100-kilometre (62-mile) pass is a demanding six-day hike that promises a lifetime of amazing memories.
Auyuittuq National Park, Baffin Island, Nunavut

Falaises abruptes, fjords étroits et montagnes imposantes composent le relief du col Akshayuk. Cette spectaculaire cuvette creusée par les glaciers dans la calotte glaciaire Penny fait 100 kilomètres (62 milles). Il faut compter six jours de randonnée exigeante pour réaliser ce parcours qui laissera aux randonneurs une foule de souvenirs impérissables.
Parc national Auyuittuq, île de Baffin, Nunavut

Trout River winds from Trout Lake at the foot of the Dehcho community to the mighty Mackenzie River.
Trout Lake, Northwest Territories

S'étirant jusqu'au majestueux fleuve Mackenzie, la rivière Trout prend sa source à Trout Lake où habitent des membres de la communauté des Dehcho.
Trout Lake, Territoire du Nord-ouest

With the second-highest tides in Canada after Nova Scotia's Bay of Fundy, Frobisher Bay undergoes a transformation twice a day. Here, low tide bares the rocky shore.
Iqaluit, Nunavut

Les marées de la baie de Frobisher sont les secondes plus hautes marées au Canada après celles de la baie de Fundy en Nouvelle-Écosse. Deux fois par jour, ces marées transforment le relief. Ici, le rivage rocailleux à marée basse.
Iqaluit, Nunavut

Curiosity gets the dog

One of a photographer's greatest assets is an inquisitive nature. I always ask: What's around the next bend? What's over the next mountain? What lies beyond – or beneath? Letting my curiosity lead the way always rewards me with a special moment or an image that I would not have been able to record without it.

This turned out to be the case in Clyde River, where from my hotel room window every morning I was greeted by an unusual sight far across the bay: circular cages that appeared to be about 50 feet in diameter. Initially, I guessed they had something to do with fishing: Were they nets for catching fish at high tide? Unfortunately, I was without a vehicle, so couldn't cross the bay to satisfy my curiosity since even at low tide it was too deep. The only option was to walk the 14 or 15 kilometres (8 or 9 miles) around the bay.

As my assistant, Réginald Poirier, and I pondered this challenge over breakfast, we noticed someone who looked familiar, begging the question, "Haven't

Wire pens that protect huskies from wildlife predators are a common sight in many Inuit villages.
Clyde River, Nunavut

Dans plusieurs villages inuits, on trouve des enclos grillagés qui servent à protéger les huskies des prédateurs sauvages.
Clyde River, Nunavut

The hamlet of Clyde River is almost obscured behind a snowsquall. **Clyde River, Nunavut**
Le hameau de Clyde River disparaît peu à peu derrière les bourrasques de neige. **Clyde River, Nunavut**

we met before?" It turned out to be Daniel Vatcher, a construction worker whom we had met the previous year in the hamlet of Qikiqtarjuaq when he was building the new municipal office there. In Clyde River to build its new hamlet office, he had an ATV that he used for transportation. Another stroke of luck – he offered to lend us the vehicle, so we jumped at the chance to get across the bay to satisfy our curiosity. With Réginald at the helm and me clinging tightly to the rear as my photography gear bumped against my back, we roared off down the muddy road along the bay toward the unusual spheres.

What's around the next bend?

About 450 metres (500 yards) from the cages I saw what looked like a polar bear so immediately asked Réginald to slow down. To our relief, it turned out to be just a husky dog. When we dismounted and began to investigate the mysterious structures, it dawned on us that they were electrified cages to protect the dogs from polar bears that would doubtless make a meal of them.

I had never seen such a contraption, but it was a common sight at most of the Inuit villages we visited. At this location, some contained a few dogs; others were packed with the beasts; however, some dogs roamed around uncaged. The site was littered with bones and decaying carcasses from seals, whales and other creatures fed to the dogs. Most huskies displayed their fear of us by howling madly while we were there. But one group of about 10 dogs just stared at me intently, leading to the ideal shot of the whole pack.

After finishing our exploration and capturing many fascinating photographs, we started back to the hamlet, whose entrance was marked by a huge rock carved with the words "Welcome to Clyde River." In my two days there, I had found neither the right light nor a good angle to make this potential shot an appealing one. However, on our way back from the cages, we encountered an eerie mist and huge, heavy snowflakes falling evenly from the sky. The unexpected mist and snow combined to create the right mood for the boulder shot.

Both these experiences proved yet again that, without a sense of curiosity, I would not have captured such beautiful scenes in Clyde River. Curiosity may kill the cat, but it gets the shot – and the dog!

La curiosité mène au chien

La curiosité est l'une des grandes qualités du photographe. Je cherche constamment à savoir ce qui se trouve au-delà du prochain détour ? Ce qui se cache derrière la montagne ? Ce qu'il y a au loin – ou en-dessous ? Si je vais là où ma curiosité m'emmène, elle me récompense toujours avec un moment ou une image qui ne seraient pas présentés autrement.

C'est ce qui s'est produit à Clyde River. Chaque matin, j'étais intrigué par ce que je voyais au loin, de l'autre côté de la baie, par la fenêtre de ma chambre d'hôtel. On aurait dit des cages en forme de cercle d'un diamètre d'environ 50 pieds. J'ai d'abord pensé à la pêche, à des filets pour attraper les poissons à marée haute. Malheureusement, je n'avais pas de véhicule et l'eau de la baie restait trop profonde, même à marée basse, pour que je puisse traverser et satisfaire ma curiosité. La seule option était de contourner la baie à pied sur une distance de 14 ou 15 kilomètres (environ 9 milles).

Au petit-déjeuner, j'en discutais avec Réginald Poirier, mon assistant, quand nous avons aperçu une personne que nous pensions tous deux avoir déjà rencontrée. C'était Daniel Vatcher, un entrepreneur en construction que nous avions connu l'année précédente, dans le village de Qikiqtarjuaq, où il construisait le nouveau bâtiment des bureaux municipaux. Il était à Clyde River pour un projet semblable et il avait un VTT pour ses déplacements. La chance nous a souri – il a offert de nous prêter le véhicule. Nous nous sommes empressés d'accepter ce moyen d'aller satisfaire notre curiosité de l'autre côté de la baie. Réginald était au volant. Je m'accrochais de mon mieux derrière lui. L'équipement de photo me tapait dans le dos dans le chemin boueux qui contournait la baie jusqu'aux objets étranges.

À environ 450 mètres (500 verges) des cages, j'ai cru apercevoir un ours polaire. J'ai demandé à Réginald de ralentir. Nous avons été soulagés de constaté qu'il s'agissait seulement d'un husky. Nous avons mis pied à terre et nous avons pu constater que les structures étranges étaient des cages électrifiées. Elles servaient à protéger les chiens contre les ours polaires qui, autrement, auraient pu s'en faire quelques bons repas.

Je n'avais jamais rien vu de tel. Plus tard, nous en avons vu d'autres dans la plupart des villages où nous sommes allés. Ici, certaines cages ne contenaient que quelques chiens. D'autres en étaient surpeuplées. Quelques chiens se baladaient en toute liberté. Partout, il y avait des ossements et des carcasses de phoques, de baleines et d'autres bêtes dont se nourrissaient les chiens. La plupart des huskys avaient peur de nous et ils l'ont manifesté en hurlant durant tout le temps où nous sommes restés là. Cependant, il y avait parmi eux un groupe d'une dizaine de chiens qui me regardaient intensément. Cette meute m'a donné une photo absolument parfaite.

Notre curiosité satisfaite et plusieurs photos fascinantes plus tard, nous avons pris le chemin du retour. À l'entrée du village, il y a un grand rocher sur lequel est gravée la mention « Welcome to Clyde River ». Depuis deux jours que j'étais là, je n'avais trouvé ni l'éclairage ni le bon angle pour en faire une bonne photo. Sur le chemin du retour, un étrange brouillard s'est soudainement formé et de gros flocons se sont mis à tomber du ciel. Brouillard et neige arrivaient à point pour créer l'ambiance souhaitée autour du rocher de bienvenue.

Ces deux moments confirment à nouveau l'importance de la curiosité. Sans elle, je ne serais pas revenu de Clyde River avec d'aussi belles photos. Il paraît que la curiosité est fatale pour le chat, mais elle donne de belles photos – et elle mène au chien !

A dog team goes into alert mode as an approaching stranger piques their interest. **Clyde River, Nunavut**
À l'approche d'un inconnu, les chiens de meute sont à la fois curieux et sur le qui-vive. **Clyde River, Nunavut**

Cascades of the South Nahanni River create an intensely coloured rainbow at Virginia Falls (*Náįlįcho*), surrounded by towering canyon walls. Travellers come by canoe, kayak or charter floatplane to visit this remote, natural wonder – Canada's first UNESCO World Heritage Site.

Nahanni National Park Reserve,
Northwest Territories

Un bel arc-en-ciel apparaît dans la brume de l'eau qui cascade entre les parois du canyon des chutes Virginia (*Náįlįcho*), de la rivière Nahanni. On vient en canoë, kayak ou hydravion pour admirer cette merveille de la nature. Premier site désigné patrimoine mondial de l'UNESCO au Canada.

Réserve de parc national Nahanni,
Territoires du Nord-Ouest

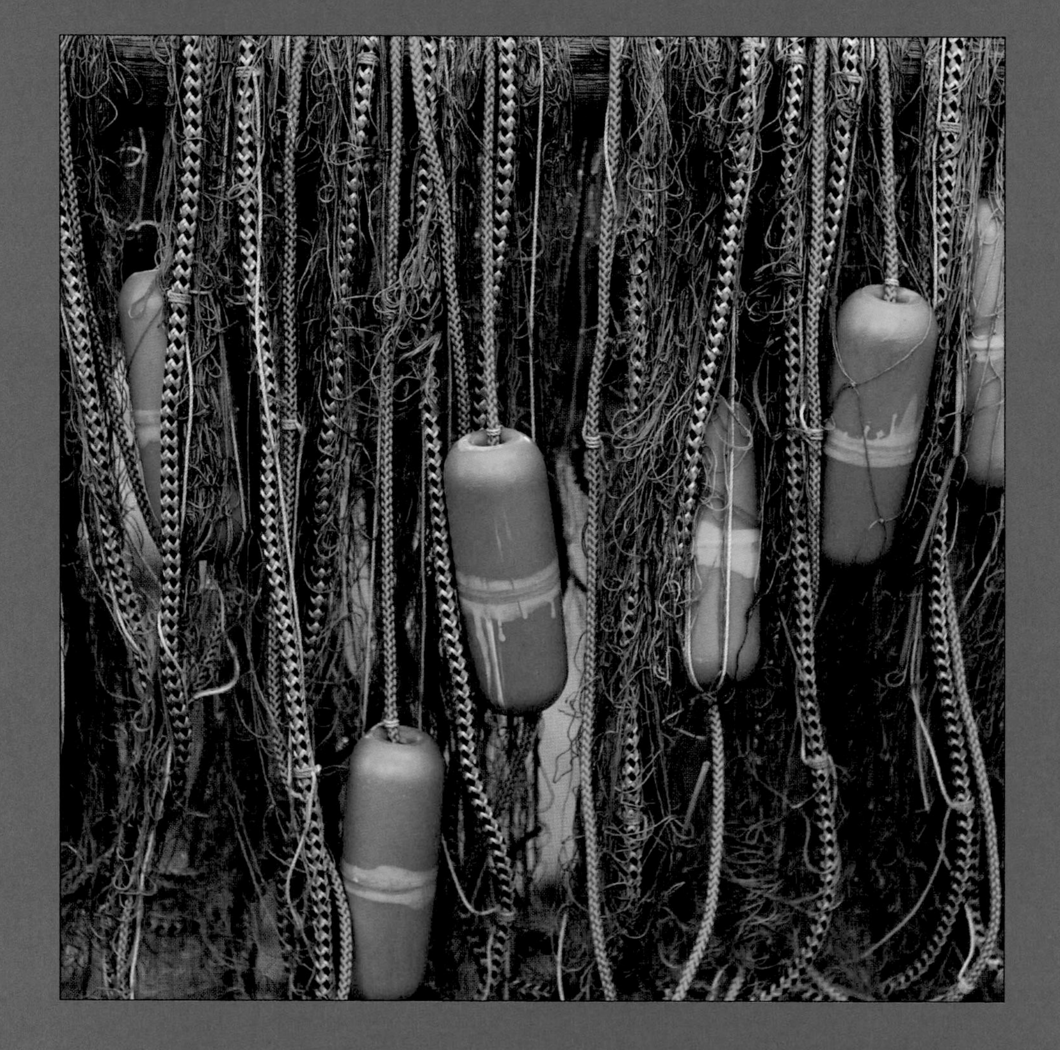

Fishnets hang to dry, awaiting the next excursion.
Trout Lake, Northwest Territories

Filets de pêche mis à sécher en attendant une prochaine sortie.
Trout Lake, Territoires du Nord-Ouest

Secured for the night, fishing boats rest in Patricia Bay. The Arctic Cordillera, surrounded by stunning fjords, shelters the picturesque cove.
Clyde River, Nunavut

Bateaux de pêche amarrés pour la nuit dans la baie Patricia. Cette anse pittoresque se trouve à l'abri de la Cordillère arctique et ses fjords spectaculaires.
Clyde River, Nunavut

A fishing boat anchored on the Hudson Strait has a good view of an iceberg floating by uninhabited Mallik Island between Foxe Peninsula and Dorset Island.
Qikiqtaaluk Region, Nunavut

Un bateau de pêche ancré dans le détroit d'Hudson regarde passer un iceberg au large de l'île Mallik, une île inhabitée entre la péninsule Foxe et l'île Dorset.
Région de Qikiqtaaluk, Nunavut

Whatever its shape or size, the shoreline is an irresistible playground in any waterfront community.
Cape Dorset, Nunavut

Peu importe sa forme ou sa taille, un rivage est un terrain de jeu irrésistible pour toute communauté vivant près de l'eau.

FOLLOWING PAGES | PAGES SUIVANTES

Sunset fashions a frosty, surreal landscape in a lonely part of the Cumberland Peninsula.
Qikiqtaaluk Region, Nunavut

Le soleil se couche dans le paysage glacé surréel d'un coin reculé de la péninsule Cumberland.

While 24-hour sunshine is a summer trademark, Igloolik's winters offset it with a dark and dusky ambience.
Igloolik, Nunavut

À Igloolik, la contrepartie du soleil de minuit en été, ce sont les pénombres des longues nuits d'hiver.
Igloolik, Nunavut

NUNAVUT: OUR LAND OF CONTRASTS

IN THIS PART OF THE ARCTIC, NATURE RULES: WE LEARN TO EXPECT THE UNEXPECTED.

From his numerous trips to the Arctic, George Fischer has captured many spectacular images for this unique book, *Canada: The Exotic North – Northwest Territories & Nunavut*. Coming to life within these pages are sensational scenes sought out by visitors to Nunavut – majestic mountains and glaciers in Auyuittuq National Park, imposing icebergs, dancing Northern Lights and burly polar bears. His photographic art will doubtless lead readers to a greater appreciation of our beloved land, Nunavut.

The name "Nunavut" combines the Inuktitut root word "nuna" for *land*, and the suffix "vut" for *our*. In 1999, the land separated from the Northwest Territories to become Canada's third independent territory as part of the Eastern Arctic Land Claims agreement for Inuit.

Kristiina's story

For most of the year, the view from my home on a frozen bay in Cape Dorset is of the snow-covered mountains of the Kinngait Range, a seemingly barren landscape of rock and snow and sky. From the dark winter solstice in December to the bright summer days in June, we dream about the return of the sun.

In January, I start noticing hints of low sunlight glowing and changing colour from orange to yellow and white, outlining the mountains and etching the valleys. In March, I see long-lasting, blazing sunsets across my bay. And by June, the frozen tundra has transformed into a world where melting snow and ice revive the rivers and lakes, and the combination of light, water and warmth awakens the summer blossoms.

During our brief three-month summer marked by 24-hour sunlight, the land and sea teem with exuberant life. Migratory birds, among them many of the world's sea birds, fly to the Arctic to join our year-round population of polar bear, musk ox, caribou, wolf, fox, seal and walrus. Pods of beluga whales, narwhals, bowheads and killer whales pass by the coast on the annual migration to their summer feeding grounds in the Arctic Archipelago during the only ice-free time of the year.

ON THE LAND: NATURE RULES

Early one September, my partner and I had gone "on the land" to our cabin 80 kilometres east of Cape Dorset on Andrew Gordon Bay. We were set to go fishing for Arctic char in the "fish lake" a couple of kilometres inland. To get there from our cabin, we had to carry and sometimes drag our small white dingy uphill over the rocks and tundra to the launch point on the river that led to the lake. We started rowing, but with less rainfall than usual during the summer, the waters were dangerously shallow. The dinghy scraped rocks along the river bed and occasionally got stuck.

My partner found the rowing a tedious and tiring task, so we changed our plans. We would land the dingy on the other side of the river and I would hike to the fish lake. Within 18 metres (20 yards) of the shore where I was to disembark, I spotted a polar bear emerging from behind a knoll and heading toward us. Rowing with his back to the shore, my partner did not see this potential threat until I yelled "polar bear!" He swung around, dropping the paddles to grab his rifle and almost capsized our little vessel. I guess the excitement and commotion in the little dingy was too much for the poor bear, which turned and ran back into the hills. Having narrowly averted a standoff, we changed our plans again, dropping me off on the other side of the river to hike within view as my partner rowed alongside.

Upon our return to the community, we met George Fischer, a guest at our hotel, the Dorset Suites. I was happy to arrange for a guide to take him and his assistant, Réginald, on a hike across the land bridge at low tide to Mallikjuaq Territorial Park, where the brilliant fall colours had set the tundra ablaze. The park is also home to ancient archeological sites of the Thule and Dorset peoples, and provides views of huge icebergs in the Hudson Strait. George really wanted to get close-ups of the icebergs from a boat, but the weather remained too windy during his stay for anyone to venture out to sea. On the day he was scheduled to leave Cape Dorset, the flight was cancelled due to snowsqualls and low visibility. Fortunately, this created an opportunity for him to photograph three amazing throat-singers who were performing in their beautifully beaded *amautiit* for visitors.

> Having narrowly averted a standoff, we changed our plans again...

HISTORY OF OUR LAND

The Inuit arrived in Canada some 3000 years ago from Beringia, rowing across the Bering Strait from Siberia and travelling overland from Alaska. These hardy settlers were familiar with life in cold climates where the land lies frozen under snow and ice for most of the year. They lived mainly near the coast, hunting for subsistence from the sea and travelling inland seasonally in search of caribou and smaller game. Food, tools, clothing and dwellings were made from what the land and sea offered, including animals.

This part of the Arctic was the last frontier discovered by European traders and explorers who came to the Eastern Arctic seeking gold, furs and a route to the Pacific Ocean. These early travellers traded with the Inuit who lived in small family groups in nomadic seasonal camps along the Arctic coast. During the 1900s, The Hudson's Bay Company, Roman Catholic and Anglican Churches, and the Government of Canada established a presence in the eastern Arctic.

Over the past 50 years, the lives of the Inuit have changed dramatically as they moved from scattered camps into communities where modern housing, healthcare and education are accessible. Today, they continue their traditional seasonal hunting activities, but combine those with new ways of making a living by working for others or creating marketable art. The hamlet of Cape Dorset is an important centre in this new world, reflecting the energy of the community through the uniquely artistic Inuit point of view.

photo credit: Jerry Riley

This book shines a bright, warm light on a land like no other – my land. And I look forward to sharing that brightness and warmth with you in person soon.

Kristiina Alariaq
Manager, Dorset Suites Hotel

Strong currents bring masses of ice into Davis Strait, where formidable tides proved a challenge to the area's first explorers.
Northwest Passage, Nunavut

De puissants courants apportent des bancs de glace dans le détroit de Davis. Les fortes marées ont fait la vie dure aux premiers explorateurs.
Passage du Nord-Ouest, Nunavut

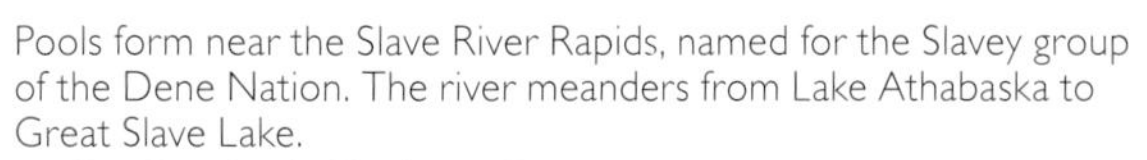

Pools form near the Slave River Rapids, named for the Slavey group of the Dene Nation. The river meanders from Lake Athabaska to Great Slave Lake.

Near Fort Smith, Northwest Territories

Plans d'eaux calmes près des rapides de la rivière des Esclaves. La rivière doit son nom au groupe Slavey de la Nation Déné. Elle coule entre le lac Athabasca et le Grand lac des Esclaves.

Près de Fort Smith, Territoires du Nord-Ouest

NUNAVUT : NOTRE TERRE DE CONTRASTES

DANS CETTE RÉGION DE L'ARCTIQUE, LA NATURE RÈGNE EN MAÎTRE : NOUS APPRENONS À PRÉVOIR L'IMPRÉVISIBLE.

Au cours de ses nombreux voyages dans l'Arctique, George Fischer a saisi quantité d'images spectaculaires pour réaliser cet ouvrage exceptionnel intitulé *Canada : L'exotisme du Nord – Territoires du Nord-Ouest & Nunavut*. Au fil des pages, apparaissent les scènes saisissantes qui sont particulièrement prisées par ceux qui visitent le Nunavut – les montagnes et glaciers majestueux du parc national Auyuittuq, les imposants icebergs, les chorégraphies des aurores boréales et les puissants ours polaires. Photographe de grand talent, George va sans aucun doute amener les lecteurs à mieux connaître et apprécier notre terre bien-aimée, le Nunavut.

Nunavut veut dire « notre terre ». En effet, le nom est composé de la racine inuktitut « nuna », qui signifie terre, et du suffixe « vut », qui signifie notre. En 1999, en vertu de l'accord sur les revendications territoriales des Inuits, le Nunavut a été séparé des Territoires du Nord-Ouest pour devenir le troisième territoire indépendant du Canada.

Le récit de Kristiina

Ma maison, située au bord de la baie glacée de Cape Dorset, fait face aux sommets de la chaîne de montagnes Kinngait. Ils sont enneigés durant presque toute l'année. C'est un paysage austère composé de roc, de neige et de ciel. À partir du mois de décembre, au cœur de l'obscurité du solstice d'hiver, et jusqu'à l'arrivée des jours ensoleillés du mois de juin et de l'été, nous rêvons au retour du soleil.

En janvier, je vois apparaître des lueurs d'ensoleillement dont les nuances passent par l'orange, le jaune et le blanc. Elles dépeignent les montagnes et dessinent les vallées. Au mois de mars, je savoure les langoureux et flamboyants couchers de soleil sur ma baie. Quand arrive le mois de juin, la toundra gelée s'est transformée en un univers où la fonte de la neige et de la glace a sorti les rivières et les lacs de leur torpeur. La lumière, l'eau et la chaleur unissent leurs efforts pour redonner vie à la flore estivale.

Durant nos trois courts mois d'été marqués par la présence du soleil de minuit, la terre et la mer sont grouillantes de vie. Les oiseaux migrateurs, dont plusieurs espèces d'oiseaux marins, volent jusqu'à l'Arctique pour se joindre aux animaux qui y vivent à l'année longue, tels que l'ours polaire, le bœuf musqué, le caribou, le loup, le renard, le phoque et le morse. Des troupeaux de bélugas, de narvals, de baleines boréales et d'orques longent la côte jusqu'à leurs aires d'alimentation estivales, dans les eaux de l'archipel arctique. C'est le seul moment de l'année où ces eaux sont libres de glace.

SUR CES TERRES, LA NATURE RÈGNE

Par une belle journée début septembre, mon compagnon et moi sommes allés « sur la terre », en route vers notre camp situé sur la baie Andrew Gordon, à 80 kilomètres à l'est de Cape Dorset. Nous allions pêcher l'omble de l'Arctique dans le lac Fish (Fish lake), à quelques kilomètres dans les terres. Pour s'y rendre et avant de pouvoir mettre à l'eau notre petite embarcation blanche dans la rivière qui mène au lac, il fallait d'abord la porter – et parfois même la traîner – dans une montée recouverte de roches et de toundra. Dans la rivière, il fallait ramer pour avancer, mais l'été avait été moins pluvieux qu'à l'habitude et le niveau de l'eau était extrêmement bas. Notre embarcation accrochait les pierres dans le lit de la rivière et restait parfois coincée.

Dans ces conditions, ramer était difficile et épuisant et il nous a fallu trouver une solution. Nous avons donc décidé d'accoster notre embarcation sur la rive opposée et que je me rendrais à pied au lac Fish. Nous étions à moins de 18 mètres (20 verges) de la rive quand j'ai soudain aperçu un ours polaire qui s'avançait vers la rive. Mon compagnon ramait le dos à la rive et il n'avait pas encore vu le danger qui nous menaçait lorsque j'ai crié « ours polaire » ! D'un seul mouvement, il s'est retourné, a lâché les rames et attrapé son fusil. Il a failli faire chavirer notre petite embarcation. L'agitation et l'énervement à bord de notre petit bateau ont suffi pour que ce pauvre ours rebrousse chemin et se sauve en direction des collines. Ayant évité un malheur de justesse, nous avons à nouveau modifié notre approche. Mon compagnon m'a déposée sur l'autre rive et il ne m'a plus quittée des yeux pendant que je marchais et qu'il ramait en longeant la rive.

> Ayant évité un malheur de justesse, nous avons à nouveau modifié notre approche.

À notre retour au village, nous avons rencontré George Fischer, un client de notre hôtel Dorset Suites. Je lui ai volontiers réservé les services d'un guide qui l'accompagnerait, ainsi que son assistant Réginald, lors d'une excursion pédestre dans le parc territorial Mallikjuaq. Ce parc abrite un site archéologique où l'on a trouvé des vestiges de l'époque des Thuléens et des Dorsétiens. À ce moment précis de l'année, les somptueuses couleurs de l'automne enflamment la toundra. Dans le parc, il y a aussi une bande de terre qui fait surface à marée basse et d'où l'on peut apercevoir d'immenses icebergs flottant dans le détroit d'Hudson. George avait très envie de se rapprocher en bateau des icebergs, mais les grands vents qui n'ont cessé de souffler pendant son séjour empêchaient quiconque de s'aventurer en mer. La journée où il devait quitter Cape Dorset, son vol a été annulé en raison de bourrasques de neige et d'une mauvaise visibilité. Cet heureux contretemps lui a permis de photographier trois étonnantes chanteuses de gorge qui, vêtues de leur magnifique amautiit orné de perles, offraient ce soir-là un spectacle à nos visiteurs.

HISTOIRE DE NOTRE TERRE

Les premiers Inuits arrivés au Canada, il y a environ 3 000 ans, provenaient de la Béringie. Partis de la Sibérie, ils ont franchi le détroit de Béring dans des embarcations et traversé l'Alaska par voie terrestre. Ces courageux pionniers avaient l'habitude des climats froids et des régions où la terre est gelée sous la neige et la glace durant presque toute l'année. Ils vivaient principalement près des côtes, se nourrissaient d'animaux marins et, en saison, se déplaçaient dans les terres en quête de caribou et de plus petit gibier. La nourriture, les outils, les vêtements et les logements étaient faits de ce que leur offraient la mer et la terre, y compris les animaux.

Cette région de l'Arctique a été la dernière frontière découverte par les traiteurs et les explorateurs européens venus dans la région est de l'Arctique en quête d'or, de fourrures et d'une route jusqu'à l'océan Pacifique. Ces voyageurs de l'époque faisaient la traite avec les Inuits qui vivaient en petits groupes familiaux, dans des campements nomades saisonniers, le long des côtes de l'Arctique. Au cours des années 1900, la Compagnie de la baie d'Hudson, les églises catholiques et anglicanes ainsi que le gouvernement canadien se sont installés dans la région est de l'Arctique.

Au cours des 50 dernières années, la vie des Inuits a radicalement changé. Ils ont quitté les campements éparpillés pour former des communautés offrant des logements modernes, des soins de santé et des services d'éducation. Aujourd'hui, les Inuits ont conservé leurs activités traditionnelles de chasse saisonnière, mais ils les combinent à de nouvelles façons de gagner leur vie soit en travaillant pour d'autres, soit en créant des objets d'art à vendre. Le hameau de Cape Dorset est au cœur de cet univers nouveau et il reflète l'énergie de la communauté avec une vision tout à fait propre aux Inuits.

crédit de photo : Jerry Riley

Cet ouvrage fait rejaillir une douce lumière sur cette terre incomparable – ma terre. Et je serai heureuse de partager cette lumière et cette chaleur avec vous lors d'une prochaine visite.

Kristiina Alariaq
Directrice, Dorset Suites Hotel

The hamlet of Cape Dorset has an important place in Arctic history. It is also known for its magnificent Inuit art, encouraged and promoted by James Houston and his wife when they moved to the community in 1953.
Cape Dorset, Nunavut

Le village de Cape Dorset occupe une place importante dans l'histoire de l'Arctique. Il est aussi connu pour ses magnifiques œuvres d'art inuit. James Houston et sa femme ont encouragé et fait la promotion de cette activité à leur arrivée dans la communauté en 1953.
Cape Dorset, Nunavut

PREVIOUS PAGES | PAGES PRÉCÉDENTES

Most of the South Nahanni River watershed and the Mackenzie Mountains, including innumerable wildlife species, are protected in the Nahanni National Park (*Nahʔą Dehé*) by an agreement between Parks Canada and the Dehcho First Nations.
Nahanni National Park Reserve, Northwest Territories

Grâce à une entente entre Parcs Canada et les Premières Nations Dehcho, la plus grande partie du bassin versant de la rivière Nahanni Sud, les monts Mackenzie et une faune très abondante se trouvent dans le territoire protégé de la Réserve de parc national Nahanni (*Nahʔą Dehé*).
Réserve de parc national Nahanni, Territoires du Nord-Ouest

A large glaucous gull, a predator that raids seabird colonies, surveys the shore of Foxe Basin for prey.
Near Hall Beach, Nunavut

Les goélands bourgmestres font des incursions dans les colonies d'oiseaux marins. Celui-ci se cherche une proie.
Près de Hall Beach, Nunavut

Icebergs roam down Davis Strait from Greenland, fashioning a giant frozen garden on the northern cape of Qikiqtarjuaq.
Qikiqtarjuaq, Nunavut

Les icebergs venus du Groenland empruntent le détroit de Davis pour former un jardin de glaces au nord du cap Qikiqtarjuaq.
Qikiqtarjuaq, Nunavut

Our Lady of Victory (Catholic) Parish, also known as the Igloo Church, is a town landmark. Paintings by Mona Thrasher, a local Inuit artist, beautify the interior.

Inuvik, Northwest Territories

Aussi appelée église igloo, l'église Our Lady of Victory (catholique) est un point de repère dans la ville. Des peintures de l'artiste inuite Mona Thrasher ornent l'intérieur.

Inuvik, Territoires du Nord-Ouest

St. Jude's Cathedral, sometimes called the Igloo Cathedral, boasts the greatest square footage of any Anglican diocese in the world. Designed by Ronald Thom in 1970 and built by local volunteers, it was rebuilt after a 2005 fire. Inuit decorations and a carved soapstone baptismal font dedicated by Queen Elizabeth II mark this as a must-see attraction.

Iqaluit, Nunavut

La superficie de la cathédrale St. Jude – aussi appelée cathédrale igloo – est plus grande que celle de tout autre diocèse anglican du monde entier. Dessinée en 1970 par Ronald Thom, l'église a été construite par des bénévoles de la région, et reconstruite après un incendie en 2005. Ses attractions comprennent des décorations inuites et des fonts baptismaux inaugurés par la reine Élizabeth II.

Iqaluit, Nunavut

The Tulita Church, built c.1880, is one of the oldest buildings in the Territories – a symbol of period architecture and Anglican missionary history.

Tulita, Northwest Territories

L'église de Tulita a été construite en 1880. C'est l'un des plus anciens bâtiments des Territoires. Elle rappelle l'architecture de l'époque et la présence missionnaire anglicane.

Tulita, Territoires du Nord-Ouest

Wooden houses brave winter winds on the northern arm of Baffin Island in Pond Inlet, a town named after the English astronomer John Pond.
Pond Inlet, Nunavut

À Pond Inlet, dans la partie nord de l'île de Baffin, des maisons en bois tiennent tête aux vents d'hiver. La localité doit son nom à l'astronome anglais John Pond.
Pond Inlet, Nunavut

Dramatic canyons and caves comprise the Ram Plateau – a remote but extraordinary karst landscape that is popular with hikers.

Nahanni National Park Reserve, Northwest Territories

Le plateau Ram comprend des cavernes et des canyons spectaculaires. Son paysage karstique extraordinaire attire bon nombre de randonneurs.

Réserve de parc national Nahanni, Territoires du Nord-Ouest

Yellowknife was named the capital of the Northwest Territories in 1967. After the 1991 discovery of diamonds just north of the city, it was also dubbed "The Diamond Capital."

Yellowknife, Northwest Territories

Yellowknife a été désignée capitale des Territoires du Nord-Ouest en 1967. En 1991, des gisements riches en diamants ont été découverts au nord de la ville et on l'a surnommée « capitale des diamants ».

Yellowknife, Territoires du Nord-Ouest

An old headframe and boxcars are silent reminders of the Giant Mine, a large gold mine with a controversial history that operated in Yellowknife from 1948–2004.

Near Yellowknife, Northwest Territories

Un chevalement et des wagons abandonnés rappellent Giant Mine, une importante mine d'or de Yellowknife. Elle a été exploitée de 1948 à 2004 et son histoire est controversée.

Yellowknife, Territoires du Nord-Ouest

Foxtail barley grass bends gracefully in a summer breeze. This invasive species is partial to roadsides and open fields.
Along Dempster Highway, Northwest Territories

La brise caresse l'orge à crinière. Cette plante invasive affectionne les bordures de routes et les champs.
Le long de la route Dempster, Territoires du Nord-Ouest

A winning smile and sunshine are a good summertime combination.
Trout Lake, Northwest Territories

Un beau sourire et le soleil font la paire par une belle journée d'été.
Trout Lake, Territoires du Nord-Ouest

Tumbling along a tundra valley, the waterfalls of the Sylvia Grinnell River are a popular place to fish or picnic, and trails are well-marked for hiking.

Sylvia Grinnell Territorial Park, Nunavut

Les chutes de la rivière Sylvia Grinell déferlent dans une vallée de la toundra. L'endroit est propice au pique-nique et à la pêche. Des sentiers bien marqués attirent les randonneurs.

Parc territorial Sylvia Grinnell, Nunavut

Cold morning air condenses homey warmth into little clouds that catch the early light.
Iqaluit, Nunavut

L'air frais du matin condense une douce chaleur en petits nuages qui captent les premiers rayons du jour.
Iqaluit, Nunavut

A warm sunset treats Yellowknife to a spectacular celestial show. Settlers from all over the world call this city home, among them many descendants of the First Nation Yellowknives, Dogrib Dene and Métis families who settled around the area.
Yellowknife, Northwest Territories

Le flamboyant spectacle céleste d'un coucher de soleil à Yellowknife. Les habitants de la ville sont venus du monde entier pour se joindre aux membres des Premières Nations Dogrib et Déné et aux familles Métis de la région.
Yellowknife, Territoires du Nord-Ouest

The administration office for Sirmilik National Park (Inuktitut: *place of glaciers*) serves Bylot Island, Oliver Sound and Borden Peninsula, a wonderfully diverse park of rugged mountains, ice fields and glaciers, rivers and plateaus that attract hardy hikers and campers.

Baffin Island, Qikiqtani Region, Nunavut

Le siège administratif du parc national Sirmilik (*lieu des glaciers*, en inuktitut) veille à la gestion de l'île Bylot, de la baie Oliver et de la péninsule Borden. La topographie du parc, qui comprend des montagnes, des champs de glace et des glaciers, des rivières et des plateaux, est une attraction pour les randonneurs et les campeurs hardis.

Île de Baffin, région de Qikiqtani, Nunavut

Rainbow-coloured houses are eye-catching landmarks in Inuvik, which is rooted on the Mackenzie Delta – Canada's largest freshwater delta.
Inuvik, Northwest Territories

Les maisons aux couleurs vives d'Inuvik font plaisir à voir. La ville est située dans le delta du Mackenzie, le plus grand delta d'eau douce du Canada.
Inuvik, Territoires du Nord-Ouest

A shallow stream twists and turns beside the "Road to Nowhere."
Iqaluit, Nunavut

Un ruisseau peu profond serpente le long de la « la route qui ne mène nulle part ».
Iqaluit, Nunavut

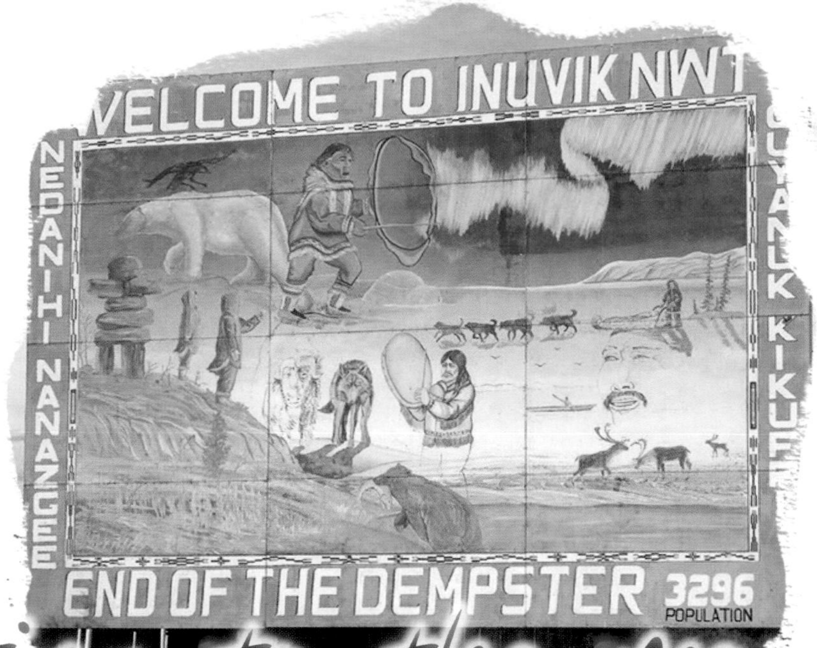

Getting to the mountains along Dempster Highway

A ribbon of grey gravel cutting through the land of the midnight sun, Dempster Highway redefines vastness. Between Dawson City in the Yukon and Inuvik in the Northwest Territories, it sent my imagination to new heights.

Shortly after leaving Dawson City, we saw the turnoff for the 750-kilometre (466-mile) Dempster Highway, marked by signs warning there would be "no food, no gas, no lodging," except at one lone whistle-stop, Eagle Plains. We therefore stocked up on food, flashlights, medical supplies and gas for the dusty journey across the northern landscape and tundra.

Hours passed before we saw a single car, but we did encounter some adventurous cyclists from France who were planning to cycle the whole route. We stopped and chatted, giving them words of encouragement before leaving them in a cloud of dust.

Every moment on the Dempster Highway yielded a photogenic masterpiece: majestic mountains, gurgling streams, fascinating wildlife and purple flowers lined the route toward the Beaufort Sea and Inuvik. We stopped countless times to savour the sights and photograph the road's twists and turns. Just past Eagle Plains – the midway point – we stopped to partake of the only amenities: food, accommodation and gas.

Every moment... yielded a photogenic masterpiece

The sun in July does not set until 2 a.m. so I wanted to seize the day by photographing the vast emptiness of the road framed by the Mackenzie mountain range. At 1 a.m., I set up on a ridge overlooking a bend in the road that showed it stretching for miles into the distance in both directions. But the results were not speaking to me; the photos did not effectively echo the contrast between our tiny selves and the overwhelming vastness of the scene. So I had my trusty assistant Jean drive the car back and forth along the road for about an hour while shooting dozens of images depicting the minuscule car on the road against the massive Mackenzie mountains. It took many attempts, but one of them finally captured the deep emotion that the scene evoked.

From Dawson City, Yukon to Inuvik, Northwest Territories the Dempster Highway snakes 734 kilometres (456 miles) in the summer. In the winter, it extends into Tuktoyaktuk with an additional icy 194 km (121 miles) of the frozen Mackenzie River delta.

Along the Dempster Highway, Northwest Territories

Durant l'été, la route Dempster fait 734 kilomètres (456 milles) entre Dawson City, au Yukon et Inuvik, dans les Territoires du Nord-Ouest. L'hiver, elle fait 194 kilomètres (121 milles) de plus, jusqu'à Tuktoyaktuk, sur la surface gelée du delta du fleuve Mackenzie.

Le long de la route Dempster, Territoires du Nord-Ouest

Dempster Highway provides little in the way of facilities, but offers a route for crossing the Arctic Circle, passing over the Continental Divide three times and traversing the Mackenzie River (North America's second-longest river) by ferry.
Along the Dempster Highway, Northwest Territories

Il y a peu de postes de service le long de la route Dempster. Toutefois, c'est une route qui traverse le cercle arctique et, trois fois, la ligne de partage des eaux. Un traversier franchit le fleuve Mackenzie, le deuxième plus long fleuve de l'Amérique du Nord.
Le long de la route Dempster, Territoires du Nord-Ouest

La route Dempster conduit à la montagne

La route Dempster est un long ruban de gravier qui traverse la terre du soleil de minuit entre Dawson City, au Yukon, et Inuvik, dans les Territoires du Nord-Ouest. Elle redéfinit le terme « immensité » et elle repousse l'imagination vers de nouvelles limites.

On prend la route Dempster peu de temps après avoir quitté Dawson City au Yukon. La route fait 750 kilomètres et des panneaux préviennent que l'arrêt d'Eagle Plains sera l'unique endroit où l'on peut trouver de la nourriture, de l'essence et de l'hébergement. Nous avons donc fait provision de nourriture, de lampes de poche, de fournitures médicales et d'essence pour ce trajet à travers le paysage nordique et la toundra.

Durant des heures entières, nous n'avons croisé aucune autre voiture. Nous avons cependant rencontré d'intrépides cyclistes français déterminés à faire le trajet dans son intégralité. Nous nous sommes arrêtés pour leur parler et les encourager. Quand nous les avons quittés, ils sont disparus dans notre nuage de poussière.

La route Dempster offre à tout moment de splendides sujets de photos : montagnes majestueuses, ruisseaux bouillonnants, magnifiques animaux sauvages et tapis de fleurs mauves le long de la route qui mène à Inuvik et à la mer de Beaufort. Nous nous sommes arrêtés plusieurs fois pour admirer et photographier ce qu'offraient les détours du chemin. À mi-parcours, juste après Eagle Plains, nous avons savouré pleinement tout ce que l'on trouve à cet endroit : la nourriture, l'hébergement et l'essence.

> La route Dempster offre à tout moment de splendides sujets de photos...

En juillet, le soleil ne se couche qu'à 2 heures et je voulais profiter de la journée pour capter en photo l'immense désolation de cette route dominée par les montagnes de la chaîne Mackenzie. Vers 1 heure, je me suis installé sur une crête qui surplombait et permettait de voir la route sur plusieurs milles dans chaque direction. Toutefois, les photos n'étaient pas éloquentes. Elles ne montraient pas le contraste entre notre présence infime et l'immensité époustouflante du lieu. J'ai alors demandé à Jean, mon fidèle assistant, de passer et repasser en voiture sur la route. Pendant une bonne heure, j'ai pris des douzaines d'images d'une voiture rendue minuscule par l'immensité de l'arrière-plan formé par les monts Mackenzie. Les essais ont été nombreux, mais une photo a finalement capté l'émotion profonde que dégageait la scène.

The Gate (*Tthetaehtåøah*) is located in the middle of Third Canyon at a point where the South Nahanni River (*Nahʔą Dehé*) makes a sharp turn. Third Canyon is a 40-kilometre (25-mile) gash through the mountains of the Funeral Range. Original prospectors travelling upriver identified four main canyons.

Nahanni National Park Reserve, Northwest Territories

The Gate (*Tthetaehtåøah*) se trouve au centre de Third Canyon, à l'endroit où la rivière Nahanni Sud (*Nahʔą Dehé*) décrit une forte courbe. Third Canyon est une gorge de 40 kilomètres (25 milles) dans les montagnes de la chaîne Funeral. Les quatre principaux canyons ont été numérotés par les prospecteurs qui remontaient la rivière.

Réserve de parc national Nahanni, Territoires du Nord-Ouest

Supplies to arctic regions are often delivered by "sea cans" stacked in busy ports to await their next job.
Iqaluit, Nunavut

Ce sont souvent ces « boîtes de mer » qui approvisionnent les régions arctiques. Rangées dans le port, elles attendent les prochains voyages.
Iqaluit, Nunavut

Hay River, the hub of the North, sits on its namesake river at the south shore of Great Slave Lake near spectacular waterfalls and territorial parks

Hay River, Northwest Territories

Surnommée plaque tournante du Nord et située sur la rivière dont elle porte le nom, la ville de Hay River est à proximité du Grand lac des Esclaves, de chutes d'eau spectaculaires et de parcs nationaux

Hay River, Territoires du Nord-Ouest

To find new things,
take the PATH
you took yesterday.

– John Burroughs

Intelligent and curious, black bears use their keen sense of smell to gain information about their surroundings.
Near (but not too close to) Fort Simpson, Northwest Territories

L'ours noir est un animal curieux et intelligent. Son odorat très développé lui permet de détecter une présence ou une source de nourriture dans son environnement.
Près (mais pas trop) de Fort Simpson, Territoires du Nord-Ouest

Pour découvrir
de nouvelles choses,
emprunteztez le même
SENTIER
qu'hier.

– John Burroughs

The beauty of the lake is framed in a window of the Nahanni Mountain Lodge as night descends.
Little Doctor Lake, Northwest Territories

Au crépuscule, la beauté du lac est encadrée par une fenêtre du Nahanni Mountain Lodge.
Lac Little Doctor, Territoires du Nord-Ouest

The *Merv Hardie*, which operated as a ferry on the Mackenzie River from 1972 to 2012, honours Mervyn Arthur Hardie – businessman, politician and bush pilot. Although the Dehcho Bridge replaced it, transportation minister Dave Ramsay is considering reinstating the ferry service.

Fort Providence, Northwest Territories

Inauguré en 1972, le traversier *Merv Hardie* a navigué sur le fleuve Mackenzie jusqu'en 2012. Il porte le nom de Mervyn Arthur Hardie, politicien, homme d'affaires et pilote de brousse. Le traversier a été remplacé par le pont Dehcho, mais le ministre du Transport Dave Ramsay voudrait le remettre en service.

Fort Providence, Territoires du Nord-Ouest

MERV HARDIE
EDMONTON
ALTA.

Komatiks (*qamutiks*), traditional Inuit sleds, are commonly used in arctic regions. Today, as in the past, their sturdy design is perfectly suited for travel on ice and snow.
Pangnirtung, Nunavut

Le *komatik* est le traîneau traditionnel des Inuits. Depuis toujours, il est utilisé dans les régions arctiques. Il est robuste et parfaitement adapté aux déplacements sur la neige et la glace.
Pangnirtung, Nunavut

FOLLOWING PAGES | PAGES SUIVANTES

Flat, barren terrain allows a straightforward trip at the north end of Hudson Bay.
Coral Harbour, Nunavut

Sur ce terrain plat et lunaire, les voyageurs tracent une ligne droite jusqu'à l'extrémité nord de la baie d'Hudson.
Coral Harbour, Nunavut

Snowmobiles are a popular choice for travel and are sometimes much faster than the other options for getting around.
Cape Dorset, Nunavut

Les motoneiges sont monnaie courante dans cette région. Agiles et rapides, elles sont le moyen de transport par excellence.
Cape Dorset, Nunavut

A TIME in the ARCTIC

Bern Will Brown (left) came to the Northwest Territories as a priest in the late 1940s, learned the ways of the North and adapted well to the aboriginal lifestyle. After he left the priesthood he became a bush pilot, painter, photographer, author and journalist, wonderfully creative in all he undertook.

Colville Lake, Northwest Territories

À son arrivée dans les Territoires du Nord-Ouest à la fin des années 1940, Bern Will Brown (photo de gauche) était prêtre. Il a appris à appréhender le Nord et s'est bien adapté au mode de vie des Autochtones. En quittant les ordres, il est devenu pilote de brousse, peintre, photographe, écrivain et journaliste, démontrant toujours une merveilleuse créativité.

Colville Lake, Territoires du Nord-Ouest

A talented lithographer, Qiatsuq Niviaqsi works on his latest creation at Kinngait Studios. The famous printmaking centre has enjoyed international acclaim since the West Baffin Co-operative founded it in 1959.

Cape Dorset, Nunavut

Lithographe de talent, Qiatsuq Niviaqsi met la touche finale à sa dernière création aux ateliers Kinngait. Depuis sa création par la Coopérative West Baffin en 1959, ce célèbre atelier de gravure a acquis une reconnaissance internationale.

Cape Dorset, Nunavut

Dancing bear soapstone sculpture created by a local artist.

Une sculpture en saponite d'un ours qui danse réalisée par un artiste de la région.

Art on the run

On my second visit to Nunavut, I knew that Inuit artists would be popping up everywhere to offer up their amazing handicrafts. Buying directly from the artists means the price tags are generally much lower than in official stores and museums. Artists work with any materials they can find – among them soapstone, sealskin and whalebone – that can be moulded into sculptures, woven goods, jewellery, clothing, beadwork or prints. Whenever I purchase a beautiful work of art, I also photograph the artist and strike up a conversation that may lead to other connections and photo opportunities.

As an avid art collector, however, I have to steel myself against overbuying under such tempting circumstances. On my visit the year before, I had been so enthralled with these wares that I had to buy a hockey bag to accommodate my purchases.

This time, I vowed not to accumulate anything but fox and beaver pelts that would fit into a bag I had picked up at a Co-op that my assistant, Réginald, pointed out would be way too small. As soon as I sat down to dinner at the Frobisher Inn Hotel, the steady stream of artists coming to our table dashed any resolve to limit my acquisitions.

On our first night, I ended up buying a dancing polar bear statue; on our second, a set of three canvas prints; and on our third a traditional whalebone sled. As we progressed through the North, the load got heavier. In Clyde River I purchased two wall hangings, in Pond Inlet a whalebone face sculpture and traditional *amaktaq*. In Cape Dorset's Kinngait Studios, I bought two prints from Kenojuak Ashevak, a gracious lady considered to be a pioneer of modern Inuit art, and in Igloolik three whalebone sculptures of fishermen.

Notice to Carvers

Galleries who sell your carvings are seeking to see more detailed images

Too many Polar Bear Carvers at the moment, they want to see well finished different ideas carving Images

They want to see carvings which are not rushed to be finished

Legend Stories, what have you experience, very well detailed finishing

Réginald had been right, and he laughed as I again bought a big hockey bag to hold my purchases, and he inherited my small bag.

Bird Among the Cairnes print by Kenojuak Ashevak, celebrated artist and sculptor.

Intitulée *Bird Among the Cairnes*, cette gravure a été réalisée par Kenojuak Ashevak, artiste et sculptrice célèbre.

Inspired by the land and wildlife around him, Qavavau Manumie is an accomplished artist who has exhibited his innovative, stylized depictions of Inuit life and legends across Canada.
Cape Dorset, Nunavut

Artiste reconnu, Qavavau Manumie puise son inspiration dans les paysages et la faune sauvage qui l'entourent. Connues partout au Canada, ses œuvres illustrent de façon innovante et stylisée la vie et les légendes des Inuits.
Cape Dorset, Nunavut

L'art en cours de route

Quand je suis retourné au Nunavut, je savais qu'il y aurait des artistes inuits un peu partout pour nous offrir une foule de créations aussi magnifiques qu'étonnantes. Le prix que demande l'artiste lui-même est habituellement inférieur à celui demandé dans une boutique officielle ou un musée. Ces artistes travaillent tous les matériaux qui leur tombent sous la main : pierre de savon, peau de phoque, os de baleine, tout peut devenir une sculpture, un tissage, un bijou, un vêtement, un objet orné de perles ou une gravure. Quand j'achète un de ces beaux objets d'art, je fais aussi une photo de l'artiste et j'entame une conversation qui peut mener à d'autres contacts et à des occasions de photos.

Je suis un avide collectionneur d'objets d'art et, dans des circonstances aussi propices, j'ai du mal à me contenir. L'année précédente, je m'étais tellement emballé qu'il m'a fallu acheter un sac d'équipement de hockey pour transporter mes achats. Cette fois-ci, je m'étais juré de ne rien acheter d'autre que des peaux de renard et de castor que je pourrais emporter dans un sac acheté à la Co-op. Mon assistant Réginald était d'avis que ce sac serait beaucoup trop petit.

Dès que je me suis assis pour le dîner au Frobisher Inn Hotel, et que des artistes se sont présentés à notre table, c'en était fait de ma résolution de limiter mes achats.

Le premier soir, j'ai acheté une statuette d'ours polaire dansant. Le lendemain, un ensemble de trois gravures. Le troisième soir, un traîneau traditionnel en os de baleine. Le fardeau s'est alourdi tout au long de notre périple dans le Nord. À Clyde River, j'ai acheté deux pièces murales. À Pond Inlet, une figure sculptée dans un os de baleine et un *amaktaq* traditionnel. Au Kinngait Studios de Cape Dorset, j'ai acheté deux gravures de Kenojuak Ashevak, une charmante dame pionnière de l'art inuit moderne. Enfin, à Igloolik, j'ai acheté trois pêcheurs sculptés dans des os de baleine.

Réginald avait raison. Il a bien ri quand j'ai dû acheter un autre sac d'équipement de hockey pour transporter mes achats. Du coup, il a hérité de mon sac trop petit.

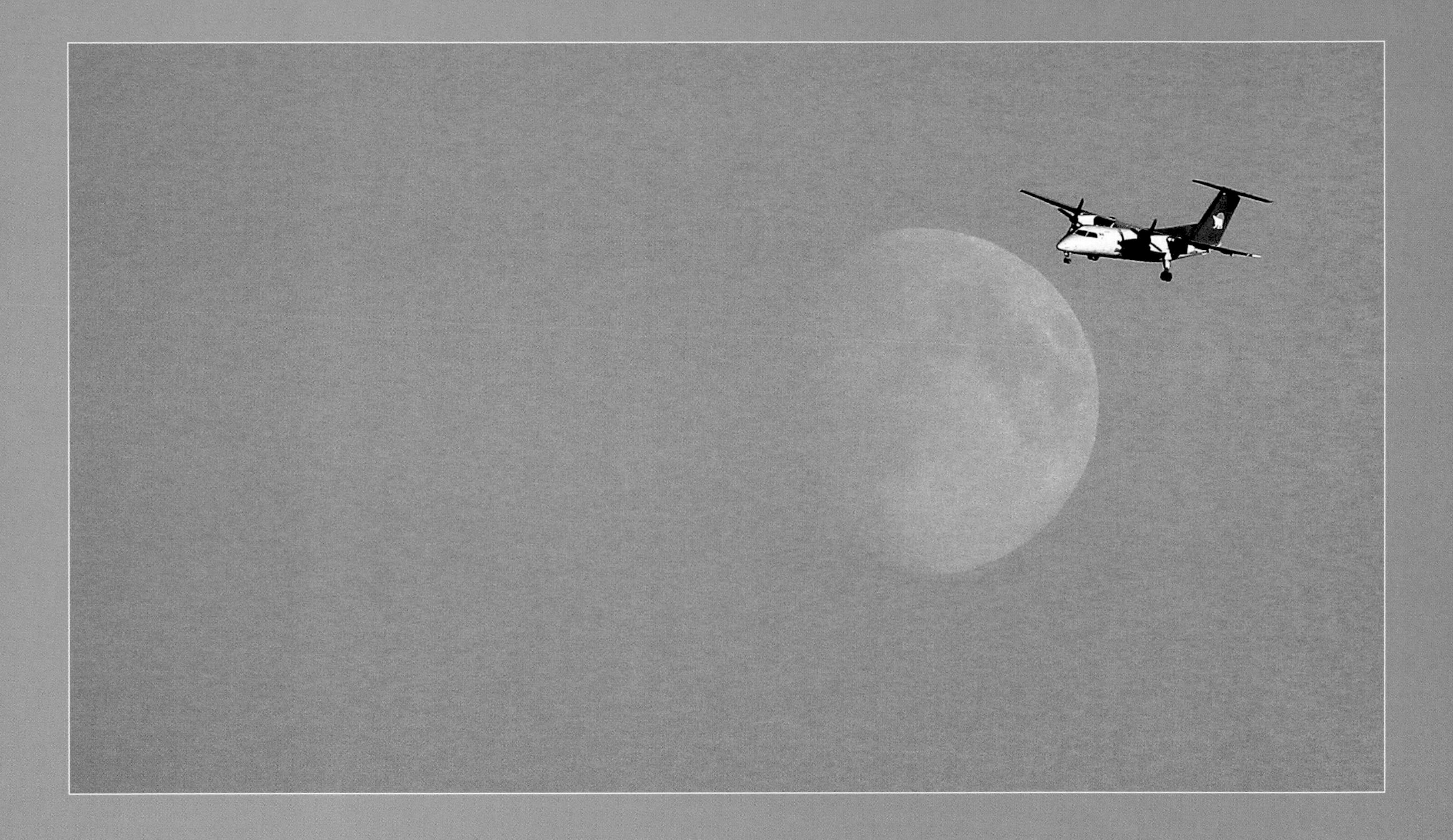

United in Celebration, a gorgeous sculpture of three drum dancers, enlivens the shores of Frame Lake. The sculptor, François Thibault, also known as T-Bo, was a renowned artist and jewellery-maker.

Yellowknife, Northwest Territories

Unis dans la célébration : Cette magnifique sculpture représentant trois danseurs au tambour égaye la rive du lac Frame. Le sculpteur, François Thibault, aussi connu sous le nom de T-Bo, était aussi un artiste et artisan-joaillier reconnu.

Yellowknife, Territoire du Nord-Ouest

FOLLOWING PAGES | PAGES SUIVANTES

Spread out on the Foxe Basin, the town of Igloolik quietly wakes to the spring thaw. The world's only Inuit circus is based here, creating videos and music and travelling to give live performances, most notably at the 2010 Olympic Winter Games.

Igloolik, Nunavut

Dispersé sur le bassin de Foxe, le village d'Igloolik s'éveille doucement avec l'arrivée du printemps et la fonte des glaces. On y trouve Artcirq, la seule troupe de cirque inuite au monde. Artcirq réalise des tournées et produit des vidéos et de la musique. Elle a d'ailleurs donné un spectacle lors des Jeux olympiques d'hiver de 2010.

Igloolik, Nunavut

Giving the appearance of an imminent moon landing, a Canadian North plane arrives from Pangnirtung.

Arriving in Iqaluit, Nunavut

En provenance de Pangnirtung, un avion de la compagnie Canadian North semble vouloir se poser sur la lune.

Arrivée à Iqaluit, Nunavut

The diverse and colourful ranges of "the Nahanni" boast stunning vistas, hot springs, ice caves and habitats for Dall sheep, wood buffalo, grizzly bear and woodland caribou. They are also an important nesting site for whooping crane.

Nahanni National Park Reserve, Northwest Territories

Doté de panoramas aussi variés que colorés, le parc « Nahanni » renferme des sources thermales et des grottes de glace. Important site de nidification de la grue blanche d'Amérique, il abrite aussi une faune variée dont le mouflon Dall, le bison des bois, le grizzli et le caribou des bois.

Réserve de parc national Nahanni, Territoires du Nord-Ouest

The scenic Peel River runs beside Dempster Highway for part of its long journey, winding from the nearby Mackenzie Mountains to the Mackenzie River delta.

Along Dempster Highway, Northwest Territories

La pittoresque rivière Peel longe partiellement la route Dempster. Prenant sa source dans les monts Mackenzie, elle serpente jusqu'au delta du fleuve Mackenzie.

En longeant la route Dempster, Territoires du Nord-Ouest

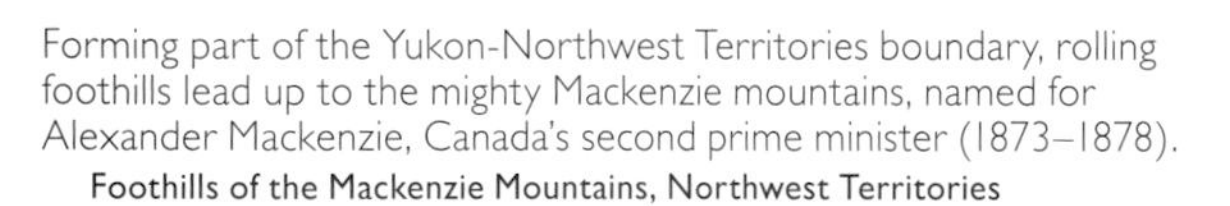

Forming part of the Yukon-Northwest Territories boundary, rolling foothills lead up to the mighty Mackenzie mountains, named for Alexander Mackenzie, Canada's second prime minister (1873–1878).

Foothills of the Mackenzie Mountains, Northwest Territories

Formant une partie de la frontière entre les Territoires du Nord-Ouest et le Yukon, les contreforts vallonnés mènent aux majestueux monts Mackenzie, nommés en l'honneur du second premier ministre canadien, Alexander Mackenzie (1873–1878).

Les contreforts des monts Mackenzie, Territoires du Nord-Ouest

A massive arts collaborative is an awe-inspiring sight close to Old Town. The Yellowknife Cultural Crossroads consists of sculptures, a steelwork teepee and symbols painted or carved into rock by Métis, Dene, Inuvialuit, English- and French-Canadian artists.

Yellowknife, Northwest Territories

Près de Old Town, l'impressionnant collectif d'artistes est une véritable source d'inspiration. Le Carrefour culturel de Yellowknife rassemble des sculptures, un tipi en acier et des symboles peints ou sculptés dans la pierre par des artistes francophones et anglophones des communautés Métis, Déné et Inuvialuit.

Yellowknife, Territoires du Nord-Ouest

A snow goose returns to its breeding area north of the treeline after wintering in warmer climes such as southern British Columbia, southern U.S.A. or Mexico.

Qikiqtaaluk Region, Nunavut

Après un séjour dans des régions plus chaudes comme le sud de la Colombie-Britannique et des États-Unis ou le Mexique, cette oie des neiges retrouve son aire de nidification au nord de la limite forestière.

Région de Qikiqtaaluk, Nunavut

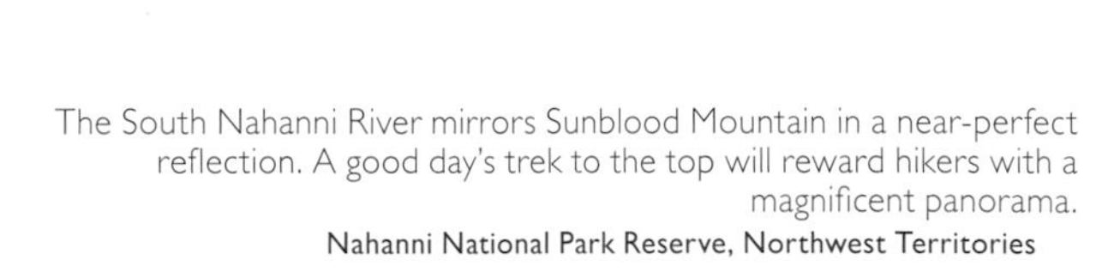

The South Nahanni River mirrors Sunblood Mountain in a near-perfect reflection. A good day's trek to the top will reward hikers with a magnificent panorama.
Nahanni National Park Reserve, Northwest Territories

Reflet quasi parfait du mont Sunblood dans la rivière Nahanni Sud. Un magnifique panorama en guise de récompense après une bonne journée de randonnée jusqu'au sommet.
Réserve de parc national Nahanni, Territoires du Nord-Ouest

Because the heat from buildings could compromise the permafrost, homes are often built on stilts.
Iqaluit, Nunavut

Les habitations sont souvent construites sur des pilotis afin d'éviter que la chaleur qui s'en dégage n'affecte la stabilité du pergélisol.

FOLLOWING PAGES | PAGES SUIVANTES

The Salt Plains spread a fragile crust of minerals over solid rock. Evaporating water and wildlife tracks form geometric patterns of sea salt in the clay.
Wood Buffalo National Park, Northwest Territories

Les plaines salées sont constituées d'une fragile écorce de minéraux reposant sur un plancher de roc solide. Les traces d'animaux et l'eau qui s'évapore créent dans la glaise des monticules de sel en forme géométrique.

St. Simon's Anglican church in the town of Apex was built in the 1960s. The community had been founded when the Hudson's Bay Company opened a post in 1949 to take advantage of the nearby military base in Iqaluit.
Apex, Nunavut

L'église anglicane Saint-Simon a été construite à Apex au cours des années 1960. Cette communauté a vu le jour lorsqu'un poste de la Compagnie de la Baie d'Hudson a été ouvert en 1949 en vue de réaliser des affaires avec la base militaire avoisinante d'Iqaluit.
Apex, Nunavut

Chasing "gentle" buffalo on the boreal plains

Feeling invincible behind a camera lens has allowed me to capture some very special shots. Only after fearlessly shooting closeups of buffalo in Canada's Northwest Territories did I find it was my ignorance of their true nature that led to the best images.

Straddling Alberta and the Northwest Territories, Wood Buffalo National Park is home to more than 5000 freely roaming Wood Bison. The UNESCO World Heritage Site is an ideal spot to photograph the magnificent beasts on Canada's northern boreal plains.

Driving through the massive preserve with my assistant, Réginald Poirier, I spotted some beautiful specimens along the side of the road. Whenever we approached one, we would jump out of the car and Réginald would pose as if taking a photo of the beast as it passed our vehicle. The idea was to depict a buffalo in the foreground with a tourist outside their car taking a snapshot.

As our various subjects lumbered in my direction, I could feel the earth vibrate under the weight of their hooves. Some got so close that their moist breath touched my face. All this made for some thrilling in-your-face images. What I didn't know was that buffalo were inherently dangerous and could easily have trampled me. I thought they were gentle beasts, like cows, and no one had warned me of the threat to my life. It was only afterwards that the tourism staff mentioned that my approach could have gotten me killed.

This escapade made me reflect on the concept of fear. I tend to be fearless behind the camera lens because it does not feel like reality; rather, it's like watching a movie through my lens. So whether I'm hanging out of a helicopter, perching on the edge of a sheer cliff, being chased by polar bears or balancing on the edge of a waterfall, I don't feel the danger. The psychology behind why I'm not sensibly terrified in such situations escapes me, but during my 30-year photographic career this feeling of invincibility has helped me capture some incredible shots.

À la rencontre du « doux » bison des plaines boréales

Mon sentiment d'invincibilité derrière mon appareil photographique m'a permis de capter des images uniques. Une rencontre téméraire avec des bisons des Territoires du Nord-Ouest du Canada m'aura cependant appris que c'est mon ignorance de leur nature véritable qui m'a donné les meilleures images.

Le territoire du parc national Wood Buffalo est partagé entre l'Alberta et les Territoires du Nord-Ouest. Ce site du patrimoine mondial de l'UNESCO est l'endroit idéal pour photographier ces magnifiques habitants des plaines boréales du Canada.

En parcourant cette immense réserve avec Réginald Poirier, mon assistant, j'ai vu de magnifiques bêtes le long de la route. À l'approche d'un bison, nous sortions du véhicule et Réginald faisait semblant de prendre une photo de l'animal passant près de la voiture. La photo devait montrer le bison et un touriste hors de sa voiture en train de le photographier.

Les bêtes avançaient lourdement vers nous et je pouvais sentir le sol vibrer sous leurs sabots. Certains bisons sont venus si près que je pouvais sentir leur haleine humide dans ma figure. J'ai obtenu de très gros plans, mais j'ignorais que ces bêtes sont foncièrement dangereuses et que j'aurais pu être attaqué et piétiné. Je les croyais douces, comme des vaches. Personne ne m'avait prévenu que ma vie pouvait être en danger. C'est plus tard que des préposés touristiques m'ont dit que la rencontre aurait pu m'être fatale.

L'incident m'a fait réfléchir sur la notion de frayeur. Derrière la lentille, je ne ressens aucune frayeur. Je suis coupé de la réalité, comme si je regardais un film à travers ma lentille. Accroché à un hélicoptère, perché sur une falaise, pourchassé par des ours polaires ou en équilibre instable près d'une chute d'eau, je ne sens pas le danger. J'ignore s'il y a un mécanisme psychologique qui bloque une frayeur dite normale dans de telles situations. Ce que je sais, cependant, c'est que mon sentiment d'invincibilité m'a permis de capter des images inouïes tout au long de mes 30 années de carrière.

The famous green soapstone used by Inuit artists to produce fine sculptures is found on local beaches.
Pond Inlet, Nunavut

Sur les plages de la région, on trouve la fameuse pierre à savon verte qu'utilisent les artistes inuits pour réaliser leurs délicates sculptures.
Pond Inlet, Nunavut

The results of subterranean volcanic activity that formed the Ragged Range are still evident on the Rabbitkettle Tufa Mounds, the largest in Canada. Mineral-rich hot water wells up and deposits calcium carbonate particles to form fragile mounds.
Nahanni National Park Reserve, Northwest Territories

Les vestiges de l'activité volcanique souterraine à l'origine de la formation de la chaîne Ragged sont encore visibles. L'amoncellement de tuf calcaire de Rabbitkettle est le plus important au Canada. Les eaux minérales chaudes qui ruissellent de la source crachent des particules de carbonate de calcium qui forment de fragiles monticules.
Réserve de parc national Nahanni, Territoires du Nord-Ouest

The traditional design of the *amauti*, a specialized Arctic parka, is still the best baby-carrier. The baby sits in a pouch just below the hood that allows the mother to pull the child forward inside the coat with no exposure to the cold.
Cape Dorset, Nunavut

Le modèle traditionnel d'*amauti* s'avère un excellent porte-bébé. Cette parka propre à l'Arctique est en fait un grand manteau muni d'une large poche à l'arrière dans laquelle on installe le bébé et sur lequel on rabat une énorme capuche pour le protéger du froid.
Cape Dorset, Nunavut

A unique masterpiece brightens the wall of a building in this artistic town.
Igloolik, Nunavut

Une œuvre remarquable enjolive le mur d'un édifice dans cette communauté d'artistes.
Igloolik, Nunavut

An early morning fisherman scouts for the most productive location.
Between Dorset Island and Mallik Island, Nunavut

Un pêcheur matinal recherche le meilleur endroit où poser sa canne à pêche.
Entre l'île Dorset et l'île Mallik, Nunavut

Culture is like wealth;
it makes us more ourselves,
it enables us to
express ourselves.

— Philip Gilbert Hamerton

A piece of carved baleen (whalebone) makes a graphic silhouette.
Cape Dorset, Nunavut

Une silhouette graphique sculptée à même un fanon de baleine.
Cape Dorset, Nunavut

FOLLOWING PAGES | PAGES SUIVANTES

Sunrise emerges on an inlet of Davis Strait, bathing the frozen blues in warmer colours.
Cumberland Sound, Nunavut

Le soleil se lève sur une anse du détroit de Davis, réchauffant ainsi les eaux recouvertes de glace.
Baie Cumberland, Nunavut

Dense and well-adapted to alpine tundra, moss campion has an edible root. Also known as cushion pink, its shape serves as protection from the harsh winds.
Sylvia Grinnell Territorial Park, Nunavut

Bien adapté au climat de la toundra alpine, le silène acaule, aussi surnommé « coussin rose », s'étend en un coussin compact et ses racines sont comestibles. En poussant à plat, cette plante est protégée des vents violents.
Parc territorial Sylvia Grinnell, Nunavut

The drive along Dempster Highway yields a feast of scenic views through some of the most alluring terrain in Canada.
Along Dempster Highway, Northwest Territories

En suivant la route Dempster, les voyageurs découvrent une nature grandiose dominée par certains des plus beaux paysages au Canada.
En longeant de la route Dempster, Territoires du Nord-Ouest

À l'instar de la richesse,
la culture confirme
ce que nous sommes
et nous permet
de nous exprimer.

– Philip Gilbert Hamerton

Intricate craftsmanship and colourful symbols adorn traditional Inuit clothing.
Cape Dorset, Nunavut

Les vêtements traditionnels inuits révèlent un minutieux travail d'artisanat et des motifs colorés.
Cape Dorset, Nunavut

Looking for the best angle to capture the throat-singers in Cape Dorset.

À la recherche du meilleur angle pour prendre une photo des chanteuses de gorge à Cape Dorset.

Serendipity sings

My arrival in the hamlet of Cape Dorset at 6 p.m. on a crisp, bright evening was blessed by the sunset's magical rays bathing the landscape in gorgeous gold. I lost no time in photographing everything that caught my eye, from icebergs to houses to fishing boats. I knew from countless previous assignments not to wait an hour or 12 if the weather were fair. And my instincts proved correct as the next day dawned with a blustery, snowy demeanor that would deter even the most intrepid photographer.

As always when the sky is not co-operating, I defaulted to photographing everything that did not need a backdrop of blue: architecture, people, vehicles and building interiors. But it doesn't take much for me to lose patience with Nature's roadblocks, so I returned to the Dorset Suites Hotel to recharge my creative batteries. There, the situation was compounded by the announcement that my flight, scheduled to leave the tiny airport late that evening for Clyde River, had been cancelled due to poor visibility. I became very anxious at the thought of not making my Clyde River shooting deadline and seeing my painstakingly planned itinerary go up in smoke. As it turned out, this delay became one of those fortuitous photography experiences that not only led to an awesome photo session, but also taught me a lesson.

> ...magical things happen when you go with the flow...

To keep hotel guests entertained as they waited for the morning flight, the Dorset Suites Hotel owner, Kristiina Alariaq, had arranged a magnificent performance of traditional throat-singing by three Inuit women. This particular type of singing, in which performers try to outlast each other, is unique to the Inuit. Had I left on schedule, I would have missed this remarkable event and a chance to photograph the performers up close and personal. I began to understand that in Nunavut magical things happen when you go with the flow – you just have to expect the unexpected.

Pii Sheojuk Toonoo and Gena Toonoo perform Inuit throat-singing, or *katajjaq*, a unique musical contest to see which entertainer can outlast the other. Musicians face each other and create rhythmic patterns while breathing until one singer is unable to sustain the pace.
Cape Dorset, Nunavut

Pii Sheojuk Toonoo et Gena Toonoo entonnent un chant de gorge (*katajjaniq*). Il s'agit une joute oratoire unique entre deux femmes se faisant face. L'une chante une forme rythmique et l'autre l'accompagne jusqu'à ce que les voix se confondent et que l'une des deux femmes s'arrête.
Cape Dorset, Nunavut

Gena Toonoo, Pii Sheojuk Toonoo and Elder Elaija Magitak ready themselves for a throat-singing performance.

Gena Toonoo, Pii Sheojuk Toonoo et leur ainée Elaija Magitak se préparent à donner un spectacle de chants de gorge.

Un heureux hasard qui chante

Je suis arrivé au village de Cape Dorset à 18 heures. Le début de soirée était bien froid et lumineux, baignant dans les reflets dorés et magiques d'un soleil couchant. Je me suis empressé de photographier tout ce qui se présentait devant ma lentille, aussi bien les icebergs que les maisons et les bateaux de pêche. L'expérience acquise lors d'innombrables expéditions m'a appris que, si le temps est propice, il ne faut jamais attendre une heure ou encore moins douze avant d'agir. Mon instinct ne m'avait pas trompé. Le jour suivant s'est levé sur un temps venteux et enneigé capable de dissuader le plus intrépide des photographes.

Comme d'habitude lorsque le ciel ne collabore pas, j'ai photographié tout ce qui pouvait se passer d'un fond de ciel bleu : l'architecture, des personnes, des véhicules et l'intérieur des bâtiments. Cependant, les entraves de dame Nature ont eu tôt fait de m'impatienter et j'ai décidé de rentrer au Dorset Suites Hotel pour y recharger les piles de mon module d'inspiration. La situation s'est compliquée encore davantage du fait que le vol pour Clyde River, qui devait quitter le petit aéroport en soirée, a été annulé pour cause de mauvaise visibilité. J'ai un petit coup d'angoisse à l'idée que ce retard risquait de compromettre ma séance de photo à Clyde River et que mon itinéraire, si soigneusement préparé, s'envolait en fumée. Cependant, il s'est avéré que ce contretemps a donné lieu à une expérience et une séance de photo fortuites qui m'ont donné une bonne leçon.

Pour distraire les clients de l'hôtel forcés d'attendre le vol du lendemain matin, Kristiina Alariaq, la propriétaire du Dorset Suites Hotel, a eu l'idée d'offrir un magnifique concert de chants de gorge donné par trois Inuites. Seuls les Inuits pratiquent cette technique de chant dont les interprètes se prêtent à une joute vocale et d'endurance. Si mon horaire avait été respecté, j'aurais raté un événement unique et une occasion de photographier de très près les vedettes de ce récital. J'ai commencé à comprendre comment, au Nunavut, des moments magiques peuvent survenir quand on suit le courant – il suffit d'attendre l'inattendu.

A mural depicting throat-singing, a vocal performance usually presented by women in duets, enhances an area outside the Nattinnak Centre, a library and cultural venue.
Pond Inlet, Nunavut

À l'extérieur du Centre Nattinnak, qui fait office de bibliothèque et de centre culturel, une murale illustre une joute de chants de gorge. Habituellement, ce sont les femmes qui s'affrontent lors de ces duels ludiques.
Pond Inlet, Nunavut

Sitting on a flood plain in the Arctic Cordillera, the village of Clyde River was historically known for excellent fishing and hunting. Today, recreational activities also attract outdoor adventurers such as hikers and ice- and rock-climbers.
Clyde River, Nunavut

Installé sur une plaine inondable de la Cordillère arctique, le village de Clyde River est reconnu depuis toujours pour la qualité de sa pêche et de sa chasse. Aujourd'hui, les activités récréatives attirent aussi les amateurs de plein air comme les randonneurs et les adeptes de l'escalade de glace ou de neige.
Clyde River, Nunavut

Crystallizing in fascinating textures, a frozen stream forms an ice bridge over the colourful rocks.

Pond Inlet, Nunavut

Dans un ruisseau, le lit de galets colorés est recouvert d'une fine couche de glace cristallisée aux textures fascinantes.

Pond Inlet, Nunavut

The impressive 1250-metre (4101-foot) vertical drop of Thor Peak beckons both mountain-climbers and thrill-seekers.

Auyuittuq National Park, Baffin Island, Nunavut

Les alpinistes et les amateurs de sensations fortes sont attirés par l'impressionnante paroi du Mont Thor qui fait 1 250 mètres (4 101 pieds).

Parc national Auyuittuq, île de Baffin, Nunavut

A massive granite carving by artists Lootie Pijami, Inuk Charlie and Paul Maliki – one from each of Nunavut's three regions – resides downtown in the Territory's capital, commemorating the 20th anniversary of the Nunavut Land Claims Agreement.
Iqaluit, Nunavut

Réalisée par les artistes Lootie Pijami, Inuk Charlie et Paul Maliki, chacun représentant l'une des trois régions du Nunavut, cette gigantesque sculpture a été installée au cœur de la capitale du territoire en commémoration du 20e anniversaire de l'Accord sur les revendications territoriales du Nunavut.
Iqaluit, Nunavut

This polar bear cub ventures outside its den to explore the world. Litters of one to three cubs are normally born in November or December and remain inside the den for their first three months until their mother breaks through the ice that has formed over the entrance. A mother polar bear will keep her young close by for up to 2½ years.
Nunavut

S'aventurant hors de sa tanière, cet ourson polaire découvre le monde qui l'entoure. La femelle a des portées allant d'un à trois oursons et met bas en novembre ou décembre. Elle emmène ses petits hors de la tanière lorsqu'ils sont âgés de trois mois en brisant la glace qui s'est formée à l'entrée. Les oursons restent auprès de leur mère jusqu'à l'âge de 2 ½ ans.
Nunavut

At the northwest reach of Deception Plateau, an ancient Hudson's Bay trading post sits abandoned and exposed to the elements. The Bay has been a retailer in the North since May 1670.

Near Mount Overlord, Auyuittuq National Park, Baffin Island, Nunavut

Situé au nord-ouest du plateau Deception, un ancien poste de la Compagnie de la Baie d'Hudson's continue de vieillir. En mai 1670, La Baie s'est installée dans le Nord pour y faire le commerce.

Près du mont Overlord, Parc national Auyuittuq, île de Baffin, Nunavut

Residents of Pangnirtung go with the flow of whatever Nature throws their way. Inuit habitation here goes back thousands of years and the culture is tied to the land and climate.
Pangnirtung, Nunavut

Les résidents de Pangnirtung s'adaptent à tous les caprices de dame Nature. Les premiers Inuits s'y sont installés, il y a des millénaires, et leur culture est étroitement liée à la terre et au climat.
Pangnirtung, Nunavut

Three fun-seeking children demonstrate the versatility of ATVs, which are a great way to get around in Trout Lake. The community is attainable by road in winter only when the ice on the lake is thick enough.

Trout Lake, Northwest Territories

En quête de distraction, trois enfants démontrent la grande polyvalence des quads. Ce type de véhicule est parfait pour se déplacer à Trout Lake. En hiver, cette communauté est accessible par la route, uniquement lorsque le lac est suffisamment gelé.

Trout Lake, Territoire du Nord-Ouest

Sea containers ("sea cans") are just far enough away from town to provide a good hangout.
Pond Inlet, Nunavut

Suffisamment éloignés de la ville, ces conteneurs maritimes (« boîtes de mer ») sont le lieu de rencontre idéal.
Pond Inlet, Nunavut

With a little ingenuity, fun can always be found.
Pond Inlet, Nunavut

Avec un peu d'imagination, le plaisir n'est jamais loin.
Pond Inlet, Nunavut

ᑕᓯᓗᓚᐊᕆᐊ
ROAD TO NOWHERE
IQALUIT, NUNAVUT

Signposts appear in both Inuktitut and English. Inuktitut is an official aboriginal language of Nunavut and the Northwest Territories.
Iqaluit, Nunavut

Les panneaux sont en anglais et en inuktitut – l'une des langues autochtones officielles du Nunavut et des Territoires du Nord-Ouest.
Iqaluit, Nunavut

As advertised, a rough dirt road a short distance outside of town leads nowhere. The beautiful scenery still makes it a worthwhile journey.
Iqaluit, Nunavut

Si comme l'indique le panneau aux abords de la ville, cette route de terre accidentée ne mène nulle part, les magnifiques paysages n'en valent pas moins le détour.
Iqaluit, Nunavut

In a frontier that seems to have more lakes than land and boasts superb fly-in fishing or paddling, the charter-plane business can be lucrative.
Yellowknife, Northwest Territories

Dans cette contrée où le nombre de lacs semble dépasser la superficie terrestre, les affaires sont bonnes pour les entreprises de transport aérien. Il y a fort à faire avec les adeptes de pêche en région éloignée et les amateurs de pagaie sportive.
Yellowknife, Territoires du Nord-Ouest

The Simpson Air DeHavilland Beaver waits patiently at the dock for passengers who have flown in for a day trip to the remote, pristine wilderness around the Nahanni Mountain Lodge.

Little Doctor Lake, Northwest Territories

Amarré au quai, le DeHavilland Beaver de Simpson Air attend patiemment ses passagers. À son bord, ils se sont rendus au Nahanni Mountain Lodge pour goûter le temps d'une journée à la nature sauvage et au sentiment d'éloignement.

Lac Little Doctor, Territoires du Nord-Ouest

To protect the arctic permafrost from damage that could make the soil unstable, pipes are installed above ground, adding to the artistic flavour of the town.
Inuvik, Northwest Territories

Des tuyaux sont installés au-dessus du pergélisol de l'Arctique afin d'éviter toute dégradation du sol. Ces structures ajoutent une petite touche artistique à la ville.
Inuvik, Territoires du Nord-Ouest

A carefully designed two-bedroom culvert with living space and kitchen floats on tripod-style legs, ready for whatever the weather brings. The energy-efficient landmark, built by Richard Carbonnier, takes advantage of skylights, solar panels, turbines and water-recycling technology.
Pond Inlet, Nunavut

Ce ponceau posé sur un trépied comporte deux chambres à coucher, un espace de vie et une cuisine, le tout aménagé avec soin. Construite par Richard Carbonnier et conçue pour braver tous les temps, cette structure écoénergétique est dotée de puits de lumière, de panneaux solaires, de turbines et d'une technologie de recyclage d'eau.
Pond Inlet, Nunavut

Sparse patterns and colours break up the landscape in Cape Dorset, where residents are dedicated to protecting the glacial environment by leaving the smallest possible ecological footprint.
Cape Dorset, Nunavut

Conception minimaliste et couleur discrète viennent rompre avec les paysages de Cape Dorset où il y a une volonté de protéger l'environnement glaciaire en réduisant le plus possible l'empreinte écologique.
Cape Dorset, Nunavut

FOLLOWING PAGES | PAGES SUIVANTES

Frobisher Bay shimmers with the day's last gasp. A large inlet of the Labrador Sea, the bay is home to a number of islands.
Frobisher Bay, near Iqaluit, Nunavut

Chatoiement de l'eau dans la baie de Frobisher en fin de journée. Important bras de la mer du Labrador, la baie abrite de nombreuses îles.
Baie de Frobisher, près d'Iqaluit, Nunavut

Quite a bit larger than their southern counterparts, these ravens are respected for their grace and intelligence and often star in stories or native crafts.
Iqaluit, Nunavut

Considérablement plus gros que leurs homologues du sud, ces corbeaux sont respectés en raison de leur élégance et intelligence. D'ailleurs, ils font souvent partie des récits et de l'artisanat autochtones.
Iqaluit, Nunavut

This natural ice sculpture mimics a whale's tail. The most common species in the Arctic are bowheads, belugas, narwhals and orcas, and the best time to catch a glimpse is from May to September.

Near Igloolik, Nunavut

Cette sculpture de glace naturelle ressemble à la queue d'une baleine. Les espèces de baleine les plus courantes dans l'Arctique sont la baleine boréale, le béluga, le narval et l'orque. La période de mai à septembre est idéale pour l'observation des baleines.

Près d'Igloolik, Nunavut

Cash is king

The list of photographs that I wanted to capture for this book was long, and I knew from my previous experience that transportation to the various sites would cost me a boatload of money. Getting to the right locations meant taking boats in Igloolik to see walruses and polar bears, more boats to see narwhal and bowhead whales in Pond Inlet and Clyde River, and finally another boat trip from Cape Dorset to get right up against the icebergs.

The North is very expensive, since everything has to be flown in or brought in to Iqaluit by ship during the short time that Frobisher Bay is free of ice. And bank machines, which are few and far between, would certainly not be available where I intended to travel. So I had to calculate the cash I would need and line my pockets with banknotes.

On my first trip to the Arctic, I had shelled out $10,000 for a two-hour flight aboard a Ken Borek twin-engine Otter from Iqaluit to Aytulliq National park to photograph mounts Asgarde, Thor and Pangnirtung for my 50th book. I therefore started this trip by taking $2000 cash with me from Toronto, then hitting bank machines everywhere I could, mostly in the Co-ops, withdrawing $1000 in Iqaluit; $1000 in Cape Dorset; $1000 in Clyde River; and finally $1000 in each of Igloolik and Pond Inlet. My pockets were packed with $7000 worth of $20s ready to peel off for local trappers and fishermen who would take me to my destinations on their boats.

In Clyde River, Cape Dorset and Pond Inlet, I successfully negotiated trips to view the wildlife. But the weather did not favour us, so we never left land – and the cash stayed in my pockets. Our luck changed in Igloolik, with the weather co-operating for photography and the trapper co-operating on price. For six hours, we wove in and out among icebergs of myriad shapes and sizes in search of seals, polar bears and walruses. The sunshine and freezing temperatures combined to create a winter wonderland for my iceberg shots. But no seals, polar bears or walruses emerged, although we did spot an ice formation resembling the tail of a whale.

> The sunshine and freezing temperatures combined to create a winter wonderland...

Luck eventually smiled on us, however, as we started back to Igloolik: a bowhead whale breached and waved its tail repeatedly as we motored along. So I did end up with a whale of a tale after all – and a wad of cash still burning a hole in my pocket.

L'argent sonant est roi

La liste des photos à réaliser pour ce livre était longue. Mes précédentes expériences de voyage m'avaient appris que le transport me coûterait les yeux de la tête. En particulier le transport en bateau pour accéder aux lieux spécifiques : Igloolik pour les morses et les ours polaires, Pond Inlet et Clyde River pour les narvals et les baleine boréales et, enfin, Cape Dorset pour s'approcher des icebergs.

Dans le Nord, tout coûte cher. Tout doit y être transporté par avion, ou par bateau, à Iqaluit, durant la courte période où la baie de Frobisher est libre de glaces. Les guichets automatiques sont rares et je n'en trouverais sûrement pas là où je devais aller. Je devais donc prévoir le montant d'argent en espèce dont j'aurais besoin et en garnir mes poches.

Lors de mon premier voyage dans l'Arctique, un seul vol m'avait coûté 10 000 dollars. Ce vol de deux heures dans un bimoteur Otter de Kenn Borek m'avait amené d'Iqualuit au parc national Aytulliq pour photographier les monts Asgard, Thor et Pangnirtung pour mon 50e livre. Cette fois-ci, j'ai quitté Toronto avec 2 000 dollars en poche. Par la suite, j'ai retiré de l'argent de guichets automatiques installés, pour la plupart, dans les magasins Co-op. J'ai retiré des montants de 1 000 dollars à Iqualuit, Cape Dorset, Clyde River, Igloolik et Pond Inlet. J'avais donc en poche 7 000 dollars en billets de 20 dollars. Cet argent servirait à payer les trappeurs et les pêcheurs qui m'emmèneraient dans leurs bateaux là où je devais aller.

À Clyde River, Cape Dorset et Pond Inlet, j'avais bien négocié le transport pour aller observer des animaux sauvages, mais le mauvais temps nous a gardés à terre. L'argent est resté dans mes poches. Les circonstances ont été plus favorables à Igloolik. Le temps s'est montré clément, de même que le prix demandé par le trappeur. Durant six heures, nous avons navigué parmi des icebergs de toute taille et forme, à la recherche de phoques, d'ours polaires et de morses. Le soleil conjugué au froid a créé un décor d'hiver féérique pour mes photos d'icebergs. Cependant, les phoques, ours polaires et morses ne se sont pas montrés. Tout au plus, avons-nous aperçu un gros glaçon qui avait la forme d'une queue de baleine.

> *Le soleil conjugué au froid a créé un décor d'hiver féérique...*

La chance était au rendez-vous lors du retour à Igloolik : une baleine boréale a émergé et nous a montré sa queue à plusieurs reprises. J'avais donc ainsi une histoire de baleine à rapporter – et j'avais toujours ma liasse de billets en poche.

Ice recedes from the shores of Patricia Bay as spring moves in.
Clyde River, Nunavut

Au fur et à mesure que s'installe le printemps, la glace se retire des berges de la baie Patricia.
Clyde River, Nunavut

Bordering the canyon walls, a stream carries alluvium sediment, depositing it as the water spreads out on a flat area in a triangular shape and creating an "alluvial fan."
Nahanni National Park Reserve, Northwest Territories

Bordé par les parois du canyon, un ruisseau se précipite en emportant avec lui des sédiments Un cône se forme habituellement là où les débris s'accumulent sur un terrain plat créant ainsi un « éventail alluvial ».
Réserve de parc national Nahanni, Territoire du Nord-Ouest

The Franklin Mountains sweep upward into low peaks in the Taïga Plains ecozone.
North East of Norman Wells, Northwest Territories

Les monts Franklins'étirent vers le ciel dans l'écozone de la Taïga des plaines.
Au nord-est de Norman Wells, Territoires du Nord-Ouest

Eng A
SWL-10 TONS

In the early 1920s, Imperial Oil built a refinery on the shore of the Mackenzie River after a petroleum deposit was discovered, and gave birth to the town of Norman Wells (*Le Gohlini* in Dene, meaning "where the oil is"). Today it is an important business centre, tourism stop and base for regional forest firefighters.

Norman Wells, Northwest Territories

Après la découverte d'un gisement de pétrole, au début des années 1920, Imperial Oil fit construire une raffinerie sur la rive du fleuve Mackenzie, fondant ainsi la ville de Norman Wells. Les Dénés l'appellent *Le Gohlini*, ce qui signifie « où est le pétrole ». Aujourd'hui, Norman Wells est un important centre d'affaires et une halte touristique et compte une caserne pour les pompiers-forestiers de la région.

Norman Wells, Territoire du Nord-Ouest

Nature is taking back this now uninhabited island, once a small community. It had been a favoured trading post of Scottish ships in the 19th century and later a World War II meteorological station.

Padloping Island, Davis Strait, Nunavut

La nature reprend ses droits sur cette île aujourd'hui inhabitée. Autrefois, elle abritait une petite communauté et un poste de traite apprécié des navires écossais au 19e siècle. Une station météorologique y a même été construite pendant la Seconde Guerre mondiale.

Île Padloping, détroit de Davis, Nunavut

Dubbed "a true Renaissance Man" by NWT Premier Bob McLeod, Bern Will Brown has left an exemplary legacy of artwork depicting his love of the North.
Colville Lake, Northwest Territories

Surnommé « véritable homme de la Renaissance » par Bob McLeod, premier ministre des Territoires du Nord-Ouest, Bern Will Brown a laissé un merveilleux héritage d'œuvres qui témoignent de son amour pour le Nord.
Colville Lake, Territoires du Nord-Ouest

The traditional *amauti* promotes bonding for Angie Kellypalik and her child as they share their warmth.
Cape Dorset, Nunavut

Grâce au traditionnel *amauti*, Angie Kellypalik crée des liens étroits avec son enfant tout en le faisant profiter de sa chaleur.
Cape Dorset, Nunavut

Alexandra Falls roars into a 32-metre (105-foot) plunge. Traditional Dene lore has grandmother and grandfather spirits as keepers of the falls and surrounding routes.

Twin Falls Gorge Territorial Park, Northwest Territories

Les chutes Alexandra se déversent avec fracas d'une hauteur de 32 mètres (105 pieds). Selon les croyances traditionnelles des Dénés, les esprits d'un grand-père et d'une grand-mère seraient les gardiens des chutes et des routes environnantes.

Parc territorial Twin Falls Gorge, Territoires du Nord-Ouest

Sparse vegetation and rocky terrain belie the fact that Baffin Island enjoys wildlife year round, both on land and in the surrounding waters.
Iqaluit, Nunavut

Au regard de cette végétation clairsemée et ce décor rocailleux, il est difficile de croire que la faune est présente à l'année sur l'île de Baffin, tant sur terre que dans les eaux avoisinantes.
Iqaluit, Nunavut

Ice figures are anchored in Coral Harbour, whose waters are ice-free between July and October.
Coral Harbour, Nunavut

À Coral Harbour, des figures de glace sont ancrées dans les eaux qui sont libres de glace de juillet à octobre.
Coral Harbour, Nunavut

A brightly coloured fishing boat floats on the contrasting blue waters of Great Slave Lake, the deepest in North America – and not always so serene.
Great Slave Lake, Northwest Territories

Contraste d'un bateau de pêche aux couleurs vives sur les eaux bleues du Grand lac des Esclaves. Il s'agit de l'étendue d'eau la plus profonde d'Amérique du Nord et pas nécessairement la plus calme.
Grand lac des Esclaves, Territoires du Nord-Ouest

Weatherbeaten but ready for more, a small fishing vessel rests on Apex Beach just a few kilometres down the coast from Iqaluit.
Apex, Nunavut

Fatigué par les intempéries, mais toujours debout, ce petit bateau de pêche attend sur la plage d'Apex à quelques kilomètres d'Iqaluit.
Apex, Nunavut

Restored to its original 1920s state, the historical Hudson's Bay Company Old Blubber Station lives on. Replicas of whaling boats also take visitors back to the day.

Pangnirtung, Nunavut

La station Old Blubber de la Compagnie de Baie d'Hudson connaît une nouvelle vie grâce à des travaux qui lui ont redonné son aspect d'antan (années 1920). Deux copies de baleiniers témoignent également du passé.

Pangnirtung, Nunavut

Hudson's Bay Company
Old Blubber Station
ᐅᖅᓱᓕᐆᕕᒻᒥᓂᖅ

Kawtysie Kakee (left), acclaimed artist and Head Weaver at the Uqqurmiut Centre, demonstrates how it's done. The art centre houses a print shop, tapestry studio and shop.

Pangnirtung, Nunavut

Artiste de renom et premier tisserand du Centre d'artisanat Uqqurmiut, Kawtysie Kakee (photo de gauche) démontre son savoir-faire. Le centre comporte un atelier d'impression ainsi qu'un atelier de tapisserie et une boutique.

Pangnirtung, Nunavut

Eli Nasogaluak is a highly regarded artist who works primarily with stone. Here he reveals his technique at the Great Northern Arts Festival. His brothers, Bill and Joe, are also artists and carvers, and all three are community role models.

Inuvik, Northwest Territories

Artiste respecté, Eli Nasogaluak sculpte principalement la pierre. Ici, on le voit à l'œuvre lors du festival des arts du Grand-Nord. Ses frères, Bill et Joe, sont également artistes et sculpteurs. Les trois artistes sont des modèles positifs au sein de leur communauté.

Inuvik, Territoires du Nord-Ouest

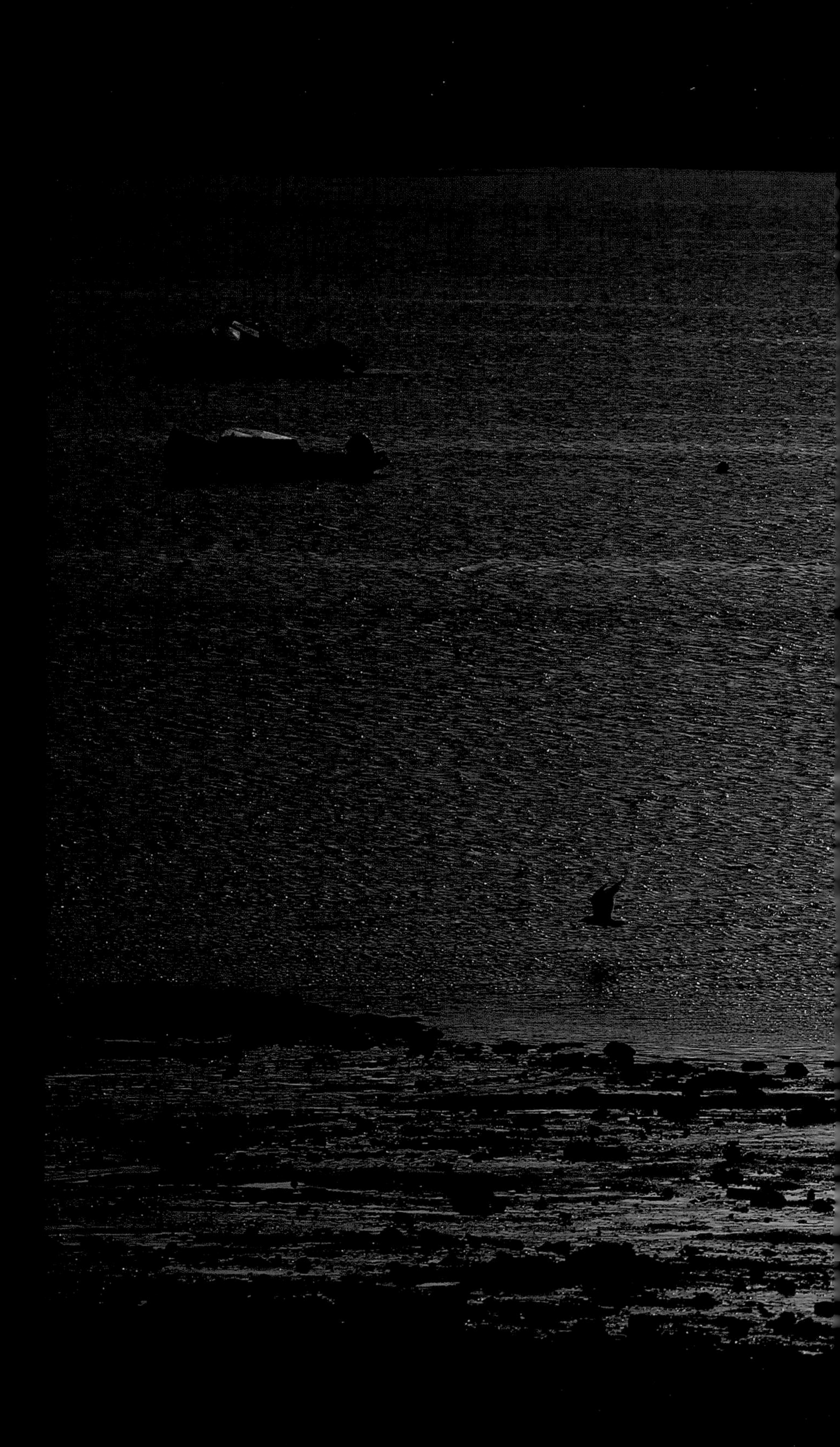

Fishing boats dot the harbor once known as *Sikusiilaq* for the area of seawater that is ice-free all year. In 1631, British explorer Luke Foxe named it Cape Dorset for his benefactor Edward Sackville, the fourth Earl of Dorset.

Cape Dorset, Nunavut

Des bateaux mouillent dans le port autrefois appelé « Sikusiilaq » en référence aux eaux salées libres de glace même en hiver. Cape Dorset fut ainsi nommé, en 1631, par l'explorateur britannique Luke Foxe, en l'honneur de son bailleur de fonds Edward Sackville, 4e comte de Dorset.

Cape Dorset, Nunavut

A charming face in Pond Inlet

Un joli minois à Pond Inlet

Co-operatives & co-operation: a winning formula

In every photography book I produce, an essential factor in the storytelling is shots of people going about their daily activities, since their faces and movements add life and authenticity. To get great stories, I must mingle with the locals and shoot as I go.

One of my greatest pleasures on assignment is interacting with locals of all ages to capture the soul of a culture. However, these days it is increasingly important to tread carefully when photographing people, especially children. With so many restrictions and lawsuits around privacy and personal space, aiming a huge 300mm lens at someone can lead to confrontations and assaults.

In Nunavut – a relatively new tourism destination – I was particularly sensitive about being a stranger with a cluster of giant lenses, prowling around tiny communities such as Pangnirtung, Clyde River, Cape Dorset, Pond Inlet and Igloolik. But I absolutely had to get photos of the Inuit, who represent 99 percent of the population.

At first I took photos only after I had asked permission, and found that everyone was happy to smile for the camera. Unfortunately, planned people shots are rarely as meaningful as unscripted ones, so I was not satisfied. But as the word spread, curious children began running up to me, wanting to practise their English and pose for me.

To their delight, I would let them view their photos on the camera's display screen, and sometimes give them the camera to snap each other. This was always a big hit, even though the miniature photographers staggered under the weight of the lenses. This put them all at ease and I ended up with some winning photos.

On the heels of this success, I agreed to do some publicity shots as a favour to one of my sponsors, Lilian Choi, the Manager of Communications for Arctic Co-ops, to include Co-op retail stores and Inns North hotels. The ideal location was Pond Inlet, which had both.

Bicycles are not just for the wonderful, 24-hour summer days. Children can make them work all year round.
Pangnirtung, Nunavut

Les bicyclettes ne sont pas réservées aux seuls beaux jours d'été où le soleil ne se couche pas. Les enfants savent s'en servir pendant toute l'année.
Pangnirtung, Nunavut

This happy task became another serendipity that underlined what I was learning about going with the rhythm of the Arctic. When I arrived in Pond Inlet, the Co-op store manager, Louise England, helped me set up action shots of cashiers working the tills, grocery boys stocking the shelves, and herself supervising her world. Within minutes, I found myself in the centre of a circus where beautiful Inuit children ran up to me, asking me to take their photographs and show them on the camera screen. Over a dozen kids tugged at my coat, each with a smile more brilliant than the one before. And I couldn't say "no" to anyone, so ended up photographing them all.

At the start of my trip, I had been worried that I would have a hard time getting the people shots that I needed for this book. Thanks to the unexpected, to Lilian and Louise – and amazing all-round co-operation – this became the photo opportunity of a lifetime!

Coopératives et coopération : une formule gagnante

Dans chacun de mes livres, les photos de gens se livrant à leurs activités quotidiennes sont toujours des éléments essentiels du récit. Leurs figures et leurs gestes y apportent de la vie et une vérité. Pour bien raconter, je dois me mêler aux habitants du lieu et les photographier au vol.

Lors de mes expéditions, l'un de mes grands plaisirs vient de l'interaction qui s'établit avec des gens de tous les âges. Elle permet de capter l'âme d'une culture. Toutefois, aujourd'hui, la prudence est de rigueur lorsqu'on photographie des personnes et plus particulièrement des enfants. Les interdits sont nombreux. Les poursuites légales aussi, de même que les considérations de vie privée et d'espace personnel. Le seul fait de pointer une lentille de 300 mm vers quelqu'un peut provoquer une remontrance ou une réaction agressive.

Le Nunavut est une destination touristique relativement nouvelle. De ce fait, j'étais particulièrement conscient d'être un étranger armé de lentilles géantes en train de fouiner dans des petites communautés comme Pangnirtung, Clyde River, Cape Dorset, Pond Inlet et Igloolik. Cependant, il me fallait absolument des photographies d'Inuits qui constituent 99 pour cent de la population.

Au début, je demandais la permission avant de prendre une photo. Tout le monde acceptait en souriant. Cependant, les photos pour lesquelles les gens posent sont rarement aussi éloquentes que les photos improvisées. Je restais sur ma faim.

Heureusement, à mesure que la nouvelle de ma présence se répandait, des enfants curieux se sont approchés. C'était pour eux l'occasion de pratiquer leur anglais et ils ont volontiers posé pour ma caméra. Ils étaient enchantés de voir leurs photos sur l'écran de l'appareil. Je les ai même laissés se photographier les uns les autres. Ils en étaient ravis, même si parfois le jeune photographe pouvait à peine à soutenir le poids du gros objectif. Ils se sont vite sentis à l'aise et j'ai obtenu de magnifiques photos.

Fort de ce succès, j'ai fait des photos publicitaires pour rendre service à l'une de mes commanditaires, Lilian Choi, directrice des communications d'Arctic Co-ops et des hôtels Inns North. Pond Inlet était l'endroit tout désigné puisqu'on y trouve un hôtel Inns North et un magasin Co-op.

Cette agréable tâche s'est transformée en un autre heureux hasard qui n'a fait que confirmer à quel point il est important de vivre au rythme

Happy faces at every turn enliven the picturesque hamlet of Pond Inlet. The Inuit community, sometimes called the "Jewel of the North," sits near the eastern entrance of the Northwest Passage.

Pond Inlet, Nunavut

Partout dans le pittoresque hameau de Pond Inlet, on voit des petits visages souriants. Parfois appelée « Joyau du Nord », cette communauté inuite est située à l'embouchure orientale du passage du Nord-Ouest.

Pond Inlet, Nunavut

de l'Arctique. À mon arrivée à Pond Inlet, Louise England, la gérante du magasin Co-op m'a aidé à prendre des photos de caissières au travail, d'employés garnissant les étagères et d'elle-même dans ses tâches de supervision. En quelques minutes, je me suis retrouvé dans un tourbillon de beaux enfants inuits qui me demandaient de prendre leur photo et de la leur montrer sur l'écran de l'appareil. Il y en avait bien une douzaine qui tiraient sur mon manteau, chacun avec un sourire aussi éclatant que celui du voisin. Il était hors de question de dire non. Je les ai tous photographiés.

Au début de mon voyage, je m'étais inquiété de la difficulté d'obtenir les photos de personnes dont le livre aurait besoin. Grâce à l'inattendu, à Lilian et à Louise – et à une collaboration sans réserve – j'ai connu une aventure photographique de rêve !

PREVIOUS PAGES | PAGES PRÉCÉDENTES

Cottongrass, or Arctic cotton, blows in the breeze, thriving on the tundra. The Inuit traditionally used the soft seed heads as wicks for their seal-oil lamps (*qulliq*).

Near Iqaluit, Nunavut

Plante répandue dans la toundra, l'herbe à coton, ou la linaigrette, flotte au vent. Traditionnellement, les Inuits utilisaient les pompons blancs en guise de mèches dans les lampes à l'huile de phoque (*qulliq*).

Près d'Iqaluit, Nunavut

Another Canadian icon – Tim Hortons "always fresh" coffee – helps warm the insides. With no traffic signals in the city, the rush to "Tims" is controlled by a traffic sign.

Iqaluit, Nunavut

Autre symbole canadien – le café frais de Tim Hortons – réchauffe le corps et l'esprit. En l'absence de feux de signalisation à Iqaluit, ce panneau routier dirige la circulation chez Tim aux heures d'affluence.

Iqaluit, Nunavut

Field trippers wearing colourful coats are part of the cultural mosaic.

Iqaluit, Nunavut

Vêtus d'anoraks de couleurs vives, ces petits promeneurs font partie intégrante de la mosaïque culturelle.

Iqaluit, Nunavut

The community of Apex (Inuktitut: *Niaqunngut*) is framed in the pilot's windows of a small fishing vessel.
Apex, Nunavut

La communauté d'Apex (*Niaqunngut* en inuktitut) vue de la fenêtre du poste de pilotage d'un petit bateau de pêche.
Apex, Nunavut

With its stern to the shadowy hills, a tired fishing boat turns its bow toward the sun's warmth.
Apex, Nunavut

Alors que la poupe de ce vieux bateau de pêche repose à l'ombre d'une colline, sa proue profite des rayons du soleil.
Apex, Nunavut

Sheltered by majestic mountains, the hamlet and artistic community of Pangnirtung is situated 50 kilometres (31 miles) south of the Arctic Circle.

Pangnirtung, Nunavut

Abrité par des montagnes majestueuses et situé à 50 kilomètres (31 milles) au sud du cercle polaire arctique, le hameau de Pangnirtung compte également une communauté artistique.

Pangnirtung, Nunavut

Fort Simpson (Slavey: *Liidli Kue* "place where the rivers come together") guards the confluence of the Mackenzie and Liard rivers. Originally called Fort of the Forks, this village is the gateway to the Nahanni National Park Reserve.

Fort Simpson, Northwest Territories

Le village de Fort Simpson (*Liidli Kue*, signifiant « lieu où les rivières se réunissent » en langue slavey) est situé sur une île au confluent du fleuve Mackenzie et de la rivière Liard. Autrefois connu sous le nom de Fort of the Forks, ce hameau est le point d'entrée de la réserve de parc national Nahanni.

Fort Simpson, Territoires du Nord-Ouest

Little Doctor Lake became home to Nahanni pioneers Gus and

A peaceful night descends on the quiet evening waters of the Mackenzie River (Dehcho: Slavey "*big river*"), the largest and longest river system in Canada.

Norman Wells, Northwest Territories

La nuit tombe paisiblement sur les eaux tranquilles du fleuve Mackenzie (*Dehcho* qui signifie « *grosse rivière* » en langue slavey). Il s'agit du fleuve et du système fluvial les plus longs au Canada.

Norman Wells, Territoires du Nord-Ouest

After surviving strong fall winds and winter temperatures averaging -40°C (-40°F), this boat might require a little paint job by summer.
Pond Inlet, Nunavut

Après avoir subi l'assaut des vents violents de l'automne et les températures hivernales d'environ -40°C (-40°F), ce bateau aura sûrement besoin d'un petit coup peinture avant l'été.
Pond Inlet, Nunavut

Snowmobiling is usually a good way to get around the capital of Iqaluit, which is accessible only by air, water or snow.

Iqaluit, Nunavut

La motoneige est le moyen de transport de prédilection à Iqaluit, capitale du Nunavut. Selon la saison, cette ville est accessible uniquement par avion, bateau ou sur fond de neige.

Iqaluit, Nunavut

All-terrain vehicles (ATVs) and paved roads make sense most of the time for covering the terrain between Iqaluit, Apex and the Sylvia Grinnell Territorial Park.
Iqaluit, Nunavut

Le plus souvent, les véhicules tout-terrains (VTT) et les routes aménagées permettent de couvrir la distance qui sépare Iqaluit, Apex et le parc territorial Sylvia Grinnell.
Iqaluit, Nunavut

Vast glacier landscapes interrupted by jagged mountains and polar sea ice are safeguarded within the 19,089 square kilometres (7370 square miles) of Auyuittuq National Park on the Cumberland Peninsula.

Baffin Island, Nunavut

Situé sur la péninsule de Cumberland, le parc national Auyuittuq couvre une superficie de 19 089 kilomètres carrés (7 370 milles carrés). On y trouve de vastes paysages glaciaires entrecoupés de montagnes escarpées et de blocs de glace.

Île de Baffin, Nunavut

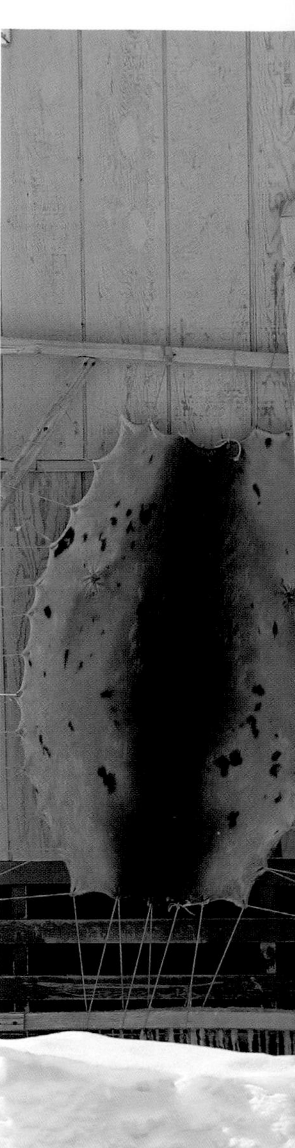

Hides are scraped, washed, cured and stretched to hang in the sun to dry.

Polar bear pelts (left) were traditionally used for warm winter clothing. While the bears are protected, a limited number of hunting permits are issued to maintain control of the polar bear population.

Sealskin (right) is waterproof although not as warm, since seals are insulated by their blubber rather than their hides.

Apex, Nunavut

Les peaux sont grattées, lavées, préparées et mises à sécher au soleil.

Traditionnellement, les peaux d'ours polaires (à gauche) servaient à la confection de vêtements d'hiver chauds. Bien que l'ours polaire soit une espèce protégée, un nombre limité de permis de chasse sont délivrés afin d'en contrôler la population.

Bien qu'imperméable, la peau de phoque (à droite) est moins chaude puisque ces animaux dépendent essentiellement de leur couche de graisse pour se protéger du froid.

Apex, Nunavut

You know you're in the North when you hear:
"Well, it's not that cold… it's ONLY MINUS 26."

– Kristen Tanche

A lookout from one of the surrounding scenic mountains displays Pangnirtung (Inuktitut: *place of the bull caribou*) shrouded in darkness.
Pangnirtung, Nunavut

Sur l'une des montagnes environnantes, un belvédère offre une vue panoramique sur le hameau de Pangnirtung plongé dans l'obscurité. En inuktitut, ce lieu s'appelle « *le lieu du caribou mâle* ».
Pangnirtung, Nunavut

Vous savez que vous êtes dans le Nord si vous entendez quelqu'un dire :
« Il ne fait pas si froid...
À PEINE MOINS 26 ».

– Kristen Tanche

Snow caps the boulders around a towering inuksuk in the Baffin Mountains.
Clyde River, Nunavut

Rochers couverts de neige autour d'un imposant inuksuk au cœur des montagnes de Baffin.
Clyde River, Nunavut

Making use of local materials, a resident has crafted this pedestrian bridge into a unique work of art.
Norman Wells, Northwest Territories

À partir de matériaux locaux, un habitant a réalisé cette passerelle piétonne qui est une véritable œuvre d'art.
Norman Wells, Territoires du Nord-Ouest

Viewed from the base of the antler tree, the Church of Our Lady of the Snows was the beginning of a new community. It was built in 1964 and founded by former Oblate priest Bern Will Brown.
Colville Lake, Northwest Territories

A côté de ce tronc décoré de panaches se trouve l'église de Notre-Dame-des-Neiges construite en 1964. Cette église a été témoin de la naissance d'une nouvelle communauté. Cette mission fut fondée par Bern Will Brown, ancien prêtre oblat.
Colville Lake, Territoires du Nord-Ouest

Aurora Borealis: freezing fire in the sky

For my book, *Spectacular Northwest Territories*, I needed to include photos of Canada's famous celestial light show – Aurora Borealis. The show didn't start till after midnight, and one freezing September night we almost missed it.

Photographing the elusive Aurora Borealis is challenging at the best of times. It takes immense patience, determination and creativity, which stood us in good stead after a close call. Adding to the challenge was my enthusiastic new assistant, Réginald Poirier, who was unfamiliar with my complex photographic equipment.

> I had forgotten to insert a compact flash card in the camera.

Our best chance of seeing this spectacular light display was after midnight on a clear cold night in September. From our hotel in Fort Simpson, Réginald and I stared out into the sky, but nothing happened.

At midnight, we decided to walk to the docks where the bush planes were moored in case the lights flashed suddenly. We set up the tripod on the shoreline facing Simpson Air's red Beaver float plane, then waited for a very long time in the biting cold before spotting a sliver of intense green on the horizon. Never having seen the Aurora Borealis before, we were not sure what we were looking at. A few minutes later, however, when the green ribbon began to widen and wisps of colour swirled in all directions, we realized that this was it.

After 20 minutes of shooting the cool fire in the sky behind the plane, I decided to review the images – and encountered a photographer's worst nightmare. Not a single image appeared on my screen: I had forgotten to insert a compact flash card in the camera.

Fortunately, Réginald sprinted back to the hotel and found a card in time for me to continue shooting as the light intensified (although he showed up with all our gear to make sure he had brought the right thing). After another half-hour, I got too cold so declared the session complete. Réginald convinced me to stay a bit longer – and it was worth every minute. The entire sky turned green, bathing the river and the plane in divine luminescence.

Magical lights play across the starry sky to form an enduring memory. The Aurora Borealis is unique to the northern magnetic pole and is best viewed on cold, clear nights.
Fort Simpson, Northwest Territories

Cette lumière magique dans un ciel étoilé laisse un souvenir impérissable. L'aurore boréale est exclusive au pôle nord magnétique. Les nuits froides et claires offrent des conditions d'observation optimales.
Fort Simpson, Territoires du Nord-Ouest

Aurora borealis : les feux du ciel

Pour mon livre intitulé *Spectacular Northwest Territories*, j'avais besoin d'une photo de l'incomparable spectacle des aurores boréales dans le ciel du Canada. C'était une nuit glaciale du mois de septembre. Le spectacle commençait après minuit et nous l'avons presque raté.

Les aurores boréales sont fugaces et il n'est jamais facile de les prendre en photo. Il faut y mettre beaucoup de patience, de détermination et de créativité. Suite à un échec évité, ces qualités nous ont bien servi. Le fait que Réginald Poirier, mon vaillant nouvel assistant, ne connaisse pas bien mon attirail photographique ajoutait un défi supplémentaire.

J'avais oublié d'insérer une carte Compact Flash dans l'appareil.

Au cours de cette nuit froide et claire de septembre, les meilleures occasions d'observation de ce spectacle céleste arriveraient après minuit. Réginald et moi avons d'abord scruté le ciel depuis notre hôtel de Fort Simpson, mais c'était le calme plat.

À minuit, au cas où les feux célestes apparaîtraient soudainement, nous nous sommes rendus aux quais où étaient amarrés des avions de brousse. Nous avons installé le trépied près d'un hydravion Beaver rouge de Simpson Air. Après avoir attendu longtemps dans un froid mordant, une mince bande lumineuse d'un vert intense est apparue à l'horizon. Parce que nous n'avions jamais vu d'aurore boréale, nous n'étions certains de rien. Après quelques minutes, cependant, dès que la bande à commencer à s'élargir et à rayonner dans toutes les directions, nous avons compris que le spectacle commençait.

Après avoir photographié ces feux d'artifice célestes durant une vingtaine de minutes, j'ai voulu revoir les images. J'ai alors connu le pire cauchemar du photographe. Pas la moindre image n'est apparue. J'avais oublié d'insérer une carte Compact Flash dans l'appareil.

Heureusement, Réginald est allé en vitesse à l'hôtel et il a rapporté une carte qui a permis de prendre des images à un moment où la lumière était la plus intense. (Par précaution, Réginald avait tout apporté.) Après une demi-heure, j'étais transi et prêt à plier bagage. C'est Réginald qui m'a convaincu de rester encore un peu. Chacune de ces minutes supplémentaires en a valu la peine. Tout le ciel est devenu vert et il éclairait la rivière et l'un des avions d'une luminosité divine.

Ancient artifacts among the rocky, rolling hills and low valleys of the Mallikjuaq Territorial Park (Inuktitut: *big wave*) are a testament to past inhabitants. At its eastern end, Inuit archaeological sites, age-old remnants of the Dorset people and remains of the Thule culture are accessible. The Thules lived in stone houses framed with whalebone ribs covered in hides and sod.

Mallik Island, Nunavut

D'anciens artefacts sont disséminés au milieu des collines de roc arrondies et des basses vallées du parc territorial Mallikjuaq (Mallikjuaq signifie « *grosse vague* » en inuktitut). Ces structures de pierres témoignent du passage des premiers peuples. Le parc renferme une collection de sites archéologiques inuits. On y trouve les vestiges du peuple Dorset, à l'extrémité est, et ceux des ancêtres Thulé, dont les habitations étaient construites en pierre ou en os de baleine recouverts de peaux d'animaux et de tourbe.

Île Mallik, Nunavut

On the Great Slave Lake north shore, which is dotted with many smaller lakes, the large, cosmopolitan city of Yellowknife seems dominated by water.
Yellowknife, Northwest Territories

L'eau est omniprésente à Yellowknife. Cette grande ville cosmopolite est située sur la rive nord du Grand lac des Esclaves qui regorge de lacs plus petits.
Yellowknife, Territoires du Nord-Ouest

Sitting on the beach, the *Isaiah II* waits for high tide to return. During low tide, you can walk from the village on Dorset Island to the mainland.
Cape Dorset, Nunavut

Couché sur une plage de l'île Dorset, le *Isaiah II* attend le retour de la marée. À marée basse, il est possible de se rendre à pied sur le continent.
Cape Dorset, Nunavut

Created as a trading post for the Hudson's Bay Company in 1913, Cape Dorset (Inuktitut: *high mountains*), known locally as the "Capital of Inuit Art," boasts several internationally recognized artists. Art and nature lovers come each year to experience the acclaimed creative culture and gather inspiration from arctic wildlife such as caribou, whales, seals and walrus.

Cape Dorset, Nunavut

Cape Dorset (« *hautes montagnes* » en inuktitut) fut fondée en 1913 lorsque la Compagnie de la Baie d'Hudson y établit un poste de traite. Connue comme la « capitale de l'art inuit », elle compte plusieurs artistes de renommée internationale. Chaque année, les amateurs d'art et de nature viennent s'imprégner de cette célèbre tradition artistique et s'inspirer en observant les caribous, les baleines, les phoques et les morses.

Cape Dorset, Nunavut

A local landmark and symbol of hope, a cross erected by a resident after a family member suffered a stroke looks over the city from Hospital Hill.

Iqaluit, Nunavut

Érigée au sommet de la colline Hospital, cette croix est à la fois un repère local et un symbole d'espoir. Un habitant l'a construite après que l'un des membres de sa famille ait été victime d'un accident vasculaire cérébral.

Iqaluit, Nunavut

St. Matthias Anglican Church has been part of the community of Igloolik since 1959 when an influx of "southerners" began effecting change. The earliest inhabitants date back more than 4000 years.

Igloolik, Nunavut

Partie intégrante de la communauté d'Igloolik, l'église anglicane Saint-Matthias a été construite en 1959 au moment de l'afflux d'étrangers venus du Sud. L'arrivée des premiers habitants remonte à plus de 4 000 ans.

Igloolik, Nunavut

Heavy clouds hover over the downtown core. The city expanded in 1954 as it outgrew its origins on the waterfront.
Yellowknife, Northwest Territories

Des nuages menaçants planent sur le centre-ville. Yellowknife a bien changé depuis l'époque de sa fondation au bord de l'eau. En 1954, elle a connu une grande expansion.
Yellowknife, Territoires du Nord-Ouest

The architecture of the Nattinnak Centre emulates the shapes of icebergs on Eclipse Sound. Inuit cultural programs and Inuktitut language lessons are offered here.
Pond Inlet, Nunavut

L'architecture du Centre Nattinnak évoque la forme des icebergs qui dérivent dans le détroit Éclipse. Ce centre propose des programmes culturels inuits et des cours de langue inuktitut.
Pond Inlet, Nunavut

PREVIOUS PAGES | PAGES PRÉCÉDENTES

Submerged rocks create a dappled pattern around a prominent boulder in the Sylvia Grinnell River. The river freezes in winter to its full depth, then floods as it flows downriver in spring to collide with sea ice on Frobisher Bay.

Sylvia Grinnell Territorial Park, Nunavut

Sous l'eau, les cailloux de la rivière Sylvia Grinnell, dessinent des taches autour d'un rocher saillant. La rivière gèle complètement en hiver, tandis qu'au printemps, au moment de la débâcle, elle déborde et se jette en aval à la rencontre de la banquise dans la baie de Frobisher.

Parc territorial Sylvia Grinnell, Nunavut

Recreational boating and fishing are popular pastimes in Iqaluit (Inuktitut: *place of many fish*).

Iqaluit, Nunavut

La navigation de plaisance et la pêche sont des activités populaires à Iqaluit (« *lieu de nombreux poissons* » en inuktitut).

Iqaluit, Nunavut

The magnificent Akshayuk Pass has been a passageway for Inuit for thousands of years. Today's adventurers also favour it as a hiking destination.

Auyuittuq National Park, Baffin Island, Nunavut

Aujourd'hui, un lieu de randonnées très couru, le magnifique col Akshayuk a servi de voie de passage aux Inuits pendant des millénaires.

Parc national Auyuittuq, île de Baffin, Nunavut

A peaceful voyage on Frobisher Bay is not to be taken for granted at the start of the spring thaw in June. While the bay is open until November, winter conditions descend in September.

Iqaluit, Nunavut

Au mois de juin qui marque le début du printemps, un voyage paisible sur la baie de Frobisher n'est pas chose banale. La baie est peut-être libre de glaces jusqu'en novembre, mais ici les conditions hivernales s'installent dès septembre.

Iqaluit, Nunavut

The Tłı̨chǫ government flag of the Dene First Nation flies alongside that of the Northwest Territories, which became official in 1969.
L'étendard du gouvernement Tłı̨chǫ de la Première Nation des Dénés flotte au côté de celui des Territoires du Nord-Ouest qui fut adopté en 1969.

Fluttering in tandem with Canada's Maple Leaf, Nunavut's territorial flag was unveiled on April 1, 1999 when the territory and government gained their official status.
Flottant en tandem avec le « drapeau à la feuille d'érable », celui du Nunavut a été dévoilé le 1er avril 1999, jour de la création du territoire et du gouvernement du Nunavut.

St. Stephen's, a part of the Roman Catholic diocese of Churchill-Baie d'Hudson, is a prominent feature on the landscape of Igloolik.
Igloolik, Nunavut

L'église Saint-Stephen fait partie du diocèse catholique romain de Churchill-Baie d'Hudson et représente un attribut important du paysage d'Igloolik.
Igloolik, Nunavut

The spire of St. Theresa of Avila pushes into the summer sky above the hamlet of Tulita (formerly Fort Norman).
Tulita, Northwest Territories

La flèche de l'église Sainte-Thérèse-d'Avila transperce le ciel d'été au cœur de Tulita. Ce hameau était autrefois connu sous le nom de Fort Norman.
Tulita, Territoires du Nord-Ouest

Fringed by a creek, the tiny community of Apex is built on a small peninsula accessed via a causeway or a bridge over a waterfall.
Apex, Nunavut

Bordée d'un ruisseau, la minuscule communauté d'Apex est installée sur une petite péninsule. Une digue ou encore une passerelle enjambant la chute y donne accès.
Apex, Nunavut

Each inuksuk is unique, its personality emerging from stones at hand. The *inunnguaq* emulate the human form, with the arms or legs sometimes pointing to a navigation channel or trail.

Cape Dorset, Nunavut

Chaque inuksuk est doté d'une personnalité propre qui émerge des pierres. L'*inunnguaq* évoque une forme humaine avec des bras et des jambes qui parfois indiquent un sentier ou servent de repères pour la navigation.

Cape Dorset, Nunavut

Numerous settlements in the Arctic started as Hudson's Bay forts or stores. At one time, the company dominated almost 7.8 million square kilometres (3 million square miles).

Apex, Nunavut

De nombreuses colonies s'établirent en Arctique au moment de l'implantation de forts et de magasins par la Compagnie de la Baie d'Hudson. À une époque, cette compagnie exploitait un territoire de 7,8 millions de kilomètres carrés (3 millions de milles carrés).

Apex, Nunavut

HUDSON'S BAY COMPANY

Deep canyons and an incredible labyrinth with corridors below vast alpine plateaus provide shelter to caribou, moose, grizzly bears, Dall sheep, birds of prey and a myriad smaller species. For avid hikers, this dramatic experience is on many "bucket lists."

Nahanni National Park Reserve,
Northwest Territories

Le parc recèle de canyons profonds et d'un ensemble unique de grottes karstiques sous un vaste plateau alpin. On y trouve des caribous, des orignaux, des grizzlis, des mouflons de Dall ainsi que des oiseaux de proie et une myriade d'espèces plus petites. Pour les randonneurs passionnés, ce parc représente une expérience incontournable.

La réserve de parc national Nahanni,
Territoires du Nord-Ouest

Hung to dry for later use, Arctic char is a freshwater fish found in alpine and arctic waters. When fresh, its mild flavour and delicate texture are popular features on dining tables everywhere.

Iqaluit, Nunavut

En train de sécher, ces filets seront consommés plus tard. L'omble chevalier est un poisson d'eau douce présent dans les eaux de l'Arctique et des régions alpines. Frais, ce poisson figure souvent au menu en raison de sa chair délicieuse et fine.

Iqaluit, Nunavut

A good source of Vitamin D, whale blubber has long been an important food source for the Inuit. Although commercial whaling is banned, Canada has upheld the practice for aboriginal cultural rights.

Tuktoyaktuk, Northwest Territories

La graisse de baleine est une excellente source de vitamine D. Depuis toujours, les Inuits l'apprécient et en consomment. Bien que la chasse commerciale à la baleine soit interdite, le Canada a maintenu cette pratique dans le respect des droits culturels des Autochtones.

Tuktoyaktuk, Territoires du Nord-Ouest

A nine-metre (30-foot) climb down a rough ladder leads to a 19-room freezer, built 75 years ago and still shared by residents of Tuktoyaktuk to keep their meat fresh.
Tuktoyaktuk, Northwest Territories

Une descente de neuf mètres (30 pieds) sur une échelle chancelante mène au congélateur communautaire qui comporte 19 pièces. Construit il y a 75 ans, ce congélateur sert encore à conserver la viande des habitants de Tuktoyaktuk.
Tuktoyaktuk, Territoires du Nord-Ouest

Just north of the Arctic Circle, a short step inside the mouth of a cave reveals sheets of ice clinging to the granite walls.
Near Qikiqtarjuaq, Nunavut

À l'entrée d'une grotte, la glace recouvre les murs de granite. Cette grotte est située tout juste au nord du cercle polaire arctique.
Près de Qikiqtarjuaq, Nunavut

The Kakisa River pours over a precipitous limestone shelf to continue its journey from northern Alberta to the Mackenzie River. The river is a recommended recreation area for fishing, swimming, picnics and boating – as long as visitors steer clear of the falls.

Lady Evelyn Falls Territorial Park, Northwest Territories

La rivière Kakisa se jette au-dessus d'une saillie de roc calcaire et poursuit sa route depuis le nord de l'Alberta jusqu'au fleuve Mackenzie. C'est un lieu idéal pour les loisirs tels la pêche, la baignade, les pique-niques et le canotage de plaisance, à condition de ne pas trop s'approcher des chutes.

Parc territorial Lady Evelyn Falls, Territoires du Nord-Ouest

The tightly packed interior of an iceberg lends a bluish tinge to its flat face.

Near Pond Inlet, Nunavut

Au centre de cet iceberg, la formation de glace très serrée donne une teinte bleutée à la surface plane.

Près de Pond Inlet, Nunavut

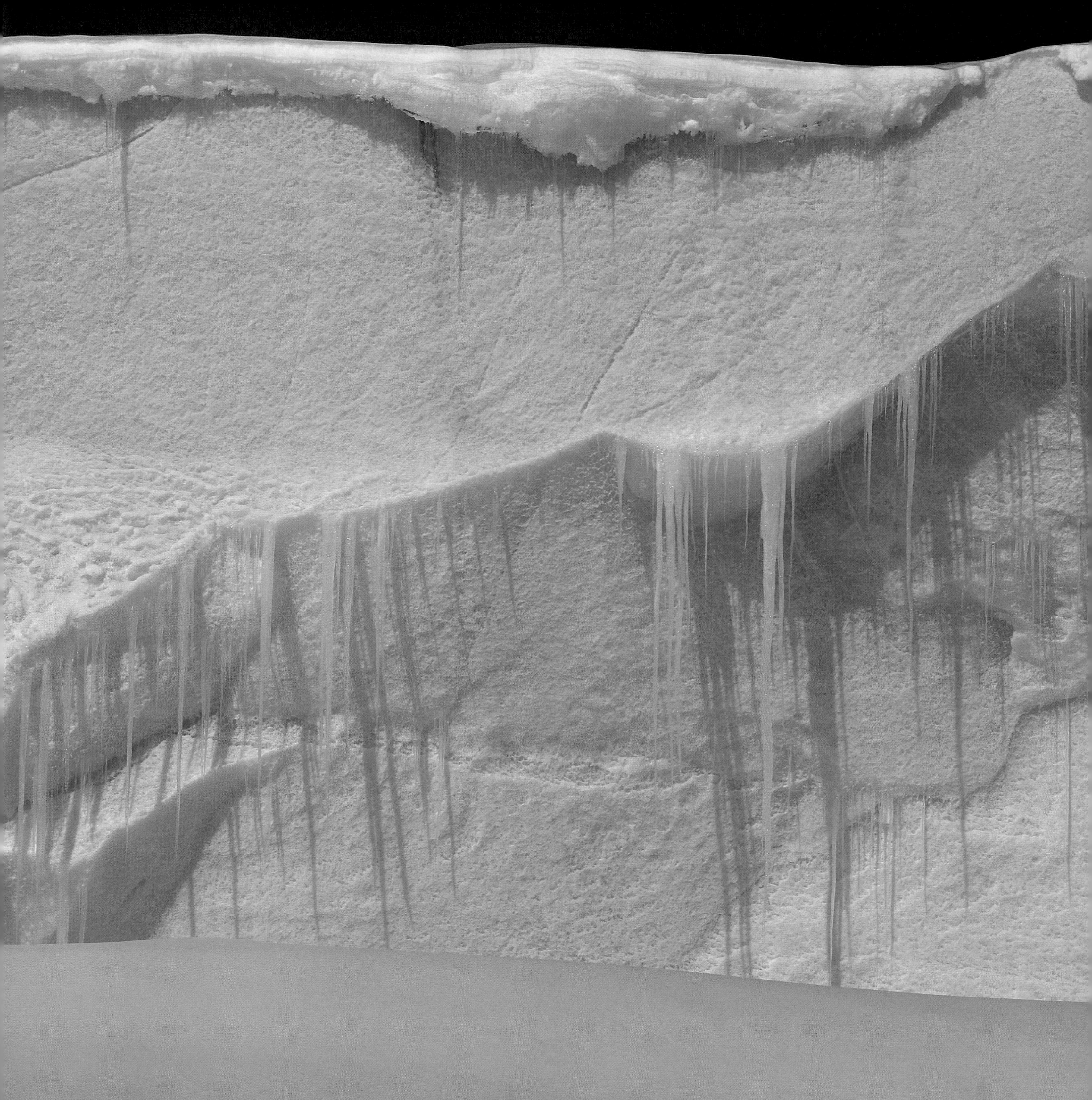

Early morning fog rises to greet the rolling swells of Patricia Bay, home to the Iqalirtuuq National Wildlife Area, a bowhead whale sanctuary.
Near Clyde River, Nunavut

Tôt le matin, le brouillard s'avance sur le relief ondulé de la baie Patricia. C'est là que se trouve la réserve nationale de faune d'Iqalirtuuq, un refuge protégé de baleines boréales.
Près de Clyde River, Nunavut

Snow blankets the graves in Iqaluit's east-end cemetery, while a bold sign demands respect from travellers.

Iqaluit, Nunavut

À Iqualuit, un manteau de neige recouvre le cimetière East-End tandis qu'un panneau explicite rappelle à l'ordre les voyageurs.

Iqaluit, Nunavut

Winter blizzards ignore traffic laws in Iqaluit, the only Canadian capital city not connected to other communities by highway.

Iqaluit, Nunavut

Ici, les blizzards ne tiennent pas compte des règles de circulation. Iqaluit est la seule ville canadienne à ne pas être reliée par la route aux autres communautés.

Iqaluit, Nunavut

STOP
ᓅᖅᑲᓯᑦ

Far above the Arctic Circle, the traditional Inuit cemetery in Pond Inlet survives harsh conditions in a community blending tradition and modernism.
Pond Inlet, Nunavut

Bien au-delà du cercle polaire arctique, ce cimetière traditionnel inuit résiste aux conditions les plus rudes. Pond Inlet est une communauté où s'entremêlent tradition et modernité.
Pond Inlet, Nunavut

Iqaluit (known as Frobisher Bay until 1987), Long Island and White Top Ledge Island gather around the waters of Frobisher Bay, an inlet on the southeast part of Baffin Island.

Frobisher Bay, Nunavut

Iqaluit (connue sous le nom de Frobisher Bay jusqu'en 1987) ainsi que les îles Long Island et White Top Ledge baignent dans les eaux de la baie de Frobisher, située au sud-est de l'île de Baffin.

Baie de Frobisher, Nunavut

A remote access point from across the bay affords a picturesque view of the Apex shoreline.
Apex, Nunavut

Sur la rive opposée, un point d'observation isolé permet d'admirer le pittoresque rivage d'Apex.
Apex, Nunavut

Ice is a useful natural resource for most of the year at the northeast tip of Melville peninsula, above the Arctic Circle.

Hall Beach, Nunavut

Dans cette région située à l'extrémité nord-est de la péninsule de Melville et au nord du cercle polaire arctique, la glace est une ressource naturelle précieuse pendant toute l'année.

Hall Beach, Nunavut

An enthusiastic rider doesn't wait for summer as he cruises the beach in Pangnirtung Fiord in April.
Pangnirtung, Nunavut

Pourquoi attendre l'été ? Ce cycliste enthousiaste s'élance sur la plage du fjord Pangnirtung au mois d'avril.
Pangnirtung, Nunavut

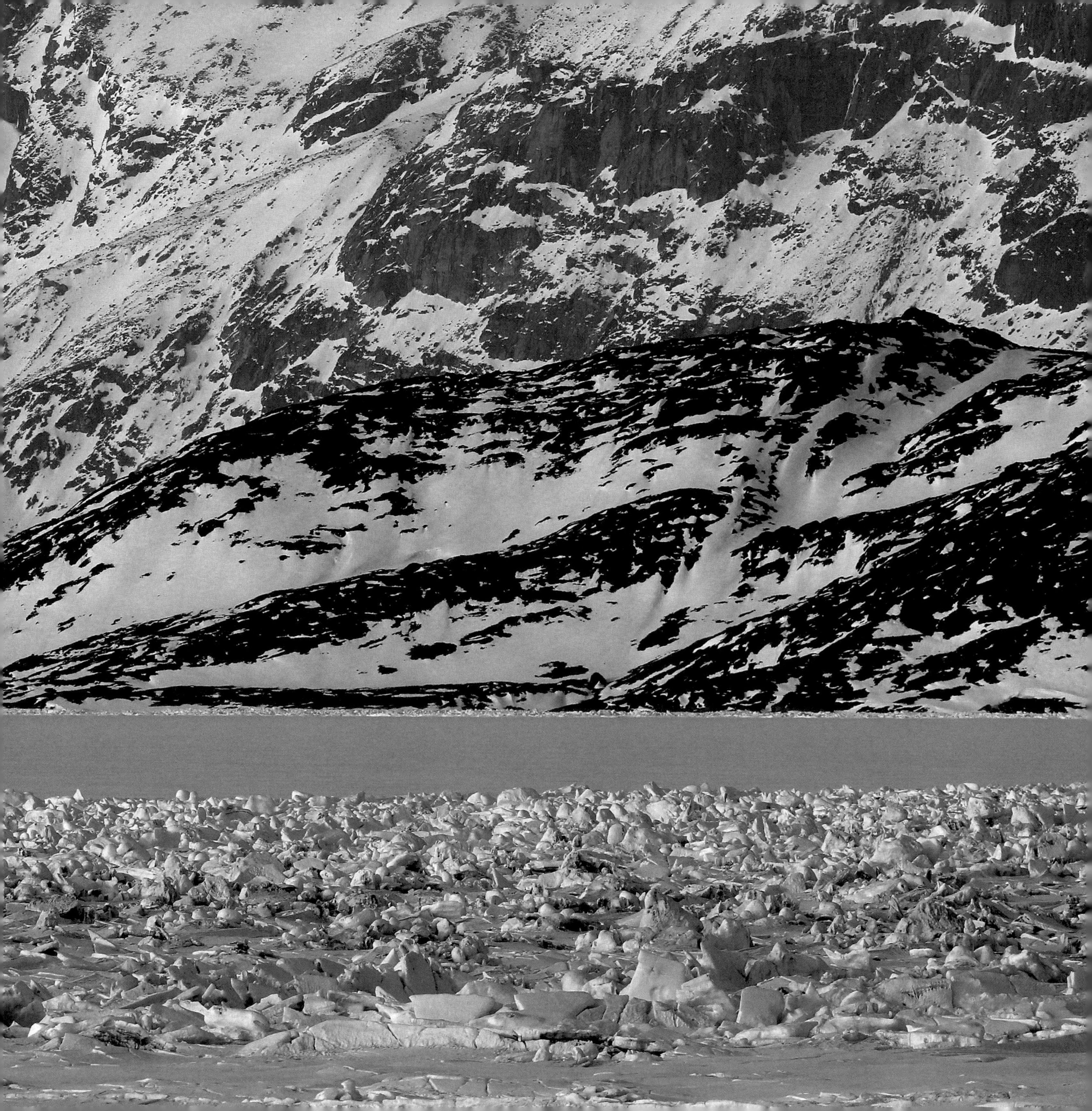

Pole
2,917 Km
NW
1070 Km
BAKER Lake 1330
APEX 3.2 Km
Population 200
874 NW

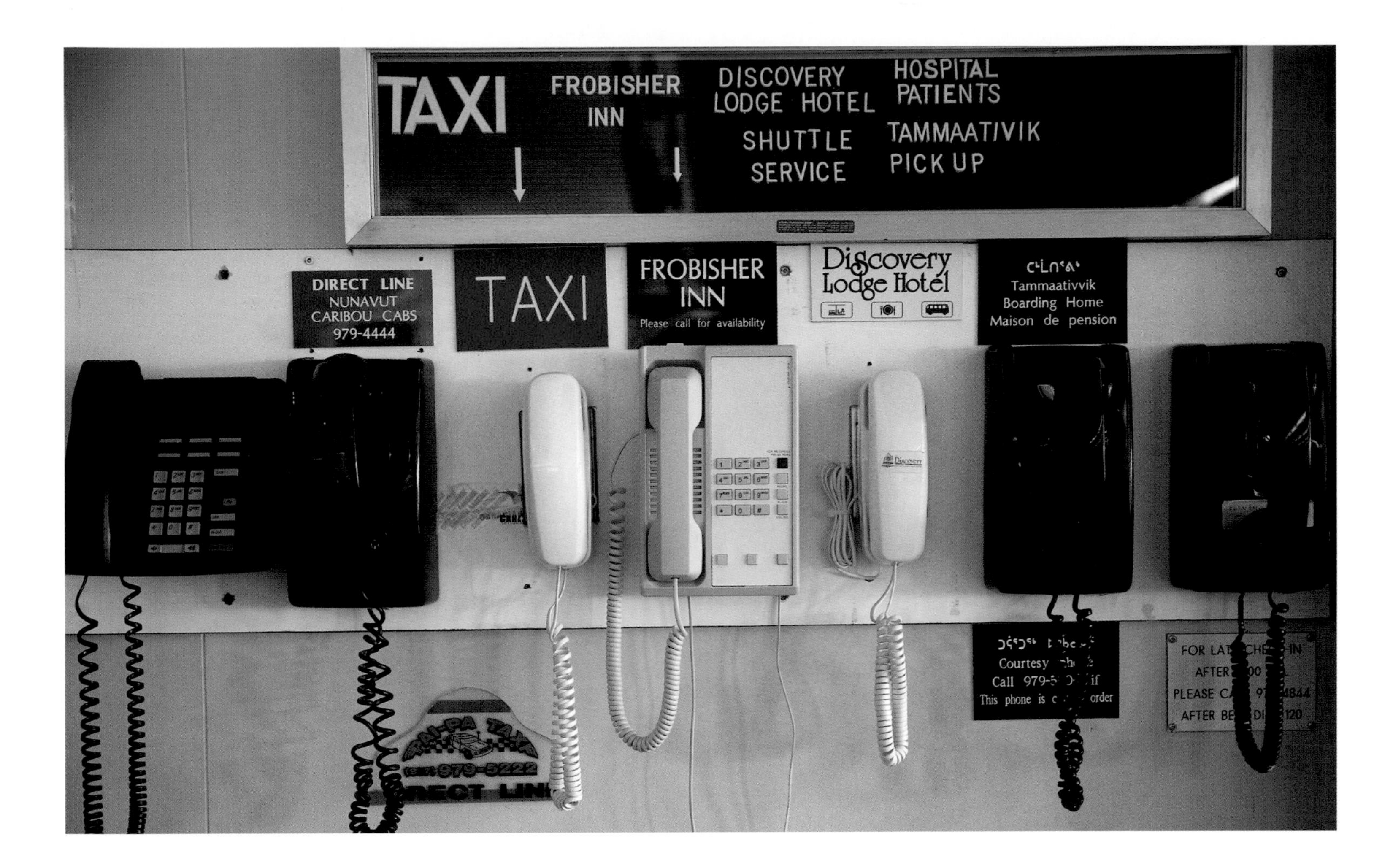

A crowded guidepost gives good directions to all points, but they may not all be accessible by road.

Iqaluit, Nunavut

Ce poteau croulant sous les panneaux indique toutes les directions, mais il ne faut pas oublier qu'elles ne sont peut-être pas toutes accessibles par la route.

Iqaluit, Nunavut

Information is a welcome sight at any destination.

Iqaluit, Nunavut

Toute forme d'information est la bienvenue, peu importe la destination.

Iqaluit, Nunavut

Inside the cockpit on a flight with Kenn Borek Air over Mount Asgard.

Dans le cockpit d'un avion de la compagnie Kenn Borek Air en train de survoler le mont Asgard.

Sunrise blesses a cover shot in Nunavut

One big challenge for the *Canada in Colour* book was to capture a dramatic and powerful cover shot that symbolized our country. But it had to be a rare and unusual sight.

My Internet research turned up a candidate for the shot that would mean travelling to Nunavut for the first time. Iconic mountains Thor and Asgard near the Akshayuk Pass on Baffin Island were the perfect subjects – but I had to get the scene exactly right in one pass. Short of scaling their heights, the only way to get at the mountains was by chartering a Twin Otter bush plane from Borek Air at a cost of $10,000 for the two hours I needed.

To ensure I wasted no time on the flight, I had to anticipate the right lighting at the right moment. I used a Google Earth feature specifying where the sun would rise and set on the two mountains on the date of my visit. Morning was the ideal time, when the rising sun kisses them simultaneously.

Our plane took off at 4:30 a.m. for the one-hour flight. When we arrived, the sun was just coming up and bathing the peaks in liquid gold. I switched seats with the co-pilot so I could lower the window and stretch out to take photos. My fingers froze and so did the camera. I tried taking off the lens and turning it on and off, but everything was locked. I finally resorted to using my assistant's point-and-shoot camera – anything to avoid missing this once-in-a-lifetime opportunity.

My fingers froze and so did the camera.

As I continued to fiddle madly with my camera, the lovely light began to fade – and so did my great shot. My final repair effort – to extract and reinsert the camera battery – got results. After circling the two mountains, I did end up with a truly Canadian image worthy of the cover.

(See photo pp. 278-279).

Au Nunavut, un lever de soleil devient une photo de couverture

Le grand défi du livre *Canada en couleurs* était de capter pour la couverture une image puissante, dramatique et évocatrice du Canada. Cette image devait aussi être rare et insolite.

Mes recherches Internet m'indiquaient que cette photo me conduirait au Nunavut pour la première fois. Les montagnes emblématiques Thor et Asgard, près du col Akshayuk, dans l'Île de Baffin, étaient de parfaits sujets – mais il faudrait capter la scène parfaitement du premier coup. Autre que l'escalade, le seul moyen d'atteindre ces montagnes était de noliser un bimoteur Otter de Borek Air, à un coût de 10 000 dollars pour les deux heures dont j'avais besoin.

Pour ne pas perdre de temps durant ce vol, je devais pouvoir prévoir le bon éclairage et le bon moment. Grâce à un programme de Google Earth, j'ai pu déterminer les heures précises du lever et du coucher de soleil sur les deux montagnes, le jour de ma visite. Le matin était le moment idéal, alors que le soleil levant les caresse toutes les deux.

L'avion a décollé à 4 h 30 pour un vol d'une heure. À notre arrivée, le soleil se levait tout juste et les sommets baignaient dans des reflets dorés. J'ai pris le siège du copilote. Là, je pouvais ouvrir la fenêtre et me pencher à l'extérieur pour prendre les photos. Mes doigts et la caméra ont vite gelé. J'ai essayé en vain d'enlever l'objectif, de le mettre sous tension et hors tension. Tout était verrouillé. En désespoir de cause, j'ai emprunté l'appareil instantané de mon assistant – il ne fallait tout simplement pas rater cette occasion unique.

Pendant que je triture en vain mon appareil, l'éclairage souhaité s'éteint peu à peu sur mon beau sujet. J'extrais la pile, je la remets en place. L'appareil reprend vie ! Notre dernier circuit autour des deux montagnes a permis de capter une image canadienne digne de la couverture.

(Voir la photo pp. 278-279).

The twin peaks of Mount Asgard (Norse for "the realm of the gods") rise 2015 metres (6600 feet). The opening sequence of the James Bond film *The Spy Who Loved Me* featured stuntman Rick Sylvester skiing off the mountain in a startling BASE jump, and floating to safety under a Union Jack parachute.

Baffin Mountain Range, Auyuittuq National Park, Nunavut

Les sommets jumeaux du mont Asgard (nom inspiré de la mythologie nordique) culminent à 2 015 mètres (6 600 pieds). Le film de James Bond intitulé *L'espion qui m'aimait* s'ouvre sur des images du cascadeur Rick Sylvester dévalant la montagne à ski et exécutant un saut extrême remarquable qui se termine sous un parachute aux couleurs de l'Union Jack.

Monts Baffin, Parc national Auyuittuq, Nunavut

Getting around on ATVs is a popular choice in the North. From mid-November to mid-January, the only illumination in this district comes from starlight, moonlight, the Northern Lights, porch lights and headlights.

Pond Inlet, Nunavut

Les véhicules tout-terrain sont très populaires dans le Nord. De la mi-novembre à la mi-janvier, les étoiles, la lune, les aurores boréales, les lumières des vérandas et les phares de voiture sont les seules sources de lumière dans ce district.

Pond Inlet, Nunavut

Patricia Bay is a significant part of the floodplain to the people of Clyde River, who anticipate the annual seal hunt at the edge of the floe and depend on fishing all year.
Clyde River, Nunavut

Pour les habitants de Clyde River, la baie Patricia représente une partie importante de la plaine inondable. Toute l'année, ils vivent de la pêche et attendent impatiemment le début de la chasse annuelle aux phoques qui se déroulera sur la banquise.
Clyde River, Nunavut

Arctic parking lots may look different from the rest of Canada, but so is the transportation.
Cape Dorset, Nunavut

Si les aires de stationnement de l'Arctique sont différentes d'ailleurs au Canada, c'est peut-être que les moyens de transport le sont tout autant.
Cape Dorset, Nunavut

Inquisitive children stop for a moment in their rush past an abandoned house.
Colville Lake, Northwest Territories

Piqués par la curiosité, des enfants ralentissent leur course devant une maison abandonnée.
Colville Lake, Territoires du Nord-Ouest

The extraordinarily ornate interior of the Church of Our Lady of Good Hope is a surprising feature behind a simple exterior. Built between 1865 and 1885 as a Roman Catholic mission, it is now one of Canada's National Historic Sites.

Fort Good Hope, Northwest Territories

Bien que l'extérieur soit assez modeste, l'intérieur de l'église catholique Notre-Dame-de-Bonne-Espérance est richement décoré. Elle a été construite entre 1865 et 1885 et elle figure aujourd'hui parmi les lieux historiques nationaux du Canada.

Fort Good Hope, Territoires du Nord-Ouest

Striking fibreglass architecture marks the two-storey Nakasuk School, named after the city's founder. It is one of four elementary schools in Iqaluit.
Iqaluit, Nunavut

Construite en fibre de verre sur deux étages, l'école primaire Nakasuk intègre une facture architecturale étonnante. Elle est l'une des quatre écoles primaires d'Iqaluit et doit son nom au fondateur de cette ville.
Iqaluit, Nunavut

Known as "the mushroom," the Igloolik Research Centre is part of the federal Polar Continental Shelf Program. The centre also runs environmental monitoring studies and researches traditional Inuit knowledge.
Igloolik, Nunavut

Le centre de recherches d'Igloolik ressemble à un champignon. Participant au Programme du plateau continental polaire mis sur pied par le gouvernement fédéral, le centre dirige également des études de surveillance environnementale et sur les connaissances traditionnelles des Inuits.
Igloolik, Nunavut

The cure for boredom
is curiosity.
There is no cure
for curiosity.

– Dorothy Parker

After a distinguished military career as the Frobisher Bay Air Base, the Iqaluit airport was converted to accommodate civilian passengers. It has assisted with cold-weather testing of large aircraft on its updated 2623-metre (8605-foot) runway. While it is the longest in the Canadian Arctic, rumours that it had been considered by NASA as a space shuttle emergency landing site are untrue.
Iqaluit, Nunavut

Autrefois base aérienne militaire de la baie de Frobisher, l'aéroport d'Iqaluit accueille aujourd'hui des vols commerciaux. Lieu d'essai par temps froids de gros aéronefs, sa piste d'atterrissage est la plus longue de l'Arctique canadien, soit 2 743 mètres (9 000 pieds). La rumeur voulant que la NASA ait envisagé d'y installer un site d'atterrissage d'urgence pour ses navettes spatiales a été démentie.
Iqaluit, Nunavut

One of the world's largest uninhabited islands at the northern edge of Baffin Island, Bylot Island regularly welcomes seasonal travellers setting up hunting camps.

The Arctic island landscape, titled *Bylot Island I*, was painted as oil on canvas in the early 1930s by Lawren Harris of the Group of Seven, and sold at auction for C$2.8 million.

Bylot Island, Nunavut

Située à l'extrémité septentrionale de l'île de Baffin, l'île Bylot est l'une des plus grandes îles inhabitées au monde. Elle accueille régulièrement des visiteurs saisonniers venus établir leur camp de chasse.

Intitulée *Bylot Island I*, cette huile sur toile a été peinte au début des années 1930 par Lawren Harris du Groupe des Sept. Évoquant les paysages arctiques de l'île, cette œuvre a été vendue aux enchères au prix de 2,8 millions de dollars.

Île Bylot, Nunavut

La curiosité est le remède contre l'ennui. Il n'y a pas de remède contre la curiosité.

– Dorothy Parker

Established on the shores of Great Slave Lake, Old Town was left behind on the coast as Yellowknife developed a new downtown area.
Yellowknife, Northwest Territories

Établie sur les rives du Grand lac des Esclaves, Old Town a été peu à peu délaissée alors que se développait le centre-ville de Yellowknife.
Yellowknife, Territoires du Nord-Ouest

Renowned artist and printmaker Jolly Atagoyuk carefully adds finishing touches to *International Formation: Two Canadians, one American & one German Fly the Arctic* by Elisapee Ishulutaq at the The Uqqurmiut Centre for Arts and Crafts.

Pangnirtung, Nunavut

Artiste et graveur de renom, Jolly Atagoyuk apporte une touche finale à l'œuvre intitulée *International Formation: Two Canadians, one American & one German Fly the Arctic* réalisée par Elisapee Ishulutaq au Centre des métiers d'art Uqqurmiut.

Pangnirtung, Nunavut

A section of the bowhead whale mural adorning a wall at the Qikiqtani General Hospital gives an impressive insight into the talent of artists Jonathan Cruz, Alexa Hatanaka and Patrick Thompson.

Iqaluit, Nunavut

Le talent des artistes Jonathan Cruz, Alexa Hatanaka et Patrick Thompson s'exprime de façon saisissante dans cette portion de murale représentant une baleine boréale, peinte à l'extérieur de l'hôpital général Qikiqtani.

Iqaluit, Nunavut

As unique as its people and culture, the architecture of Yellowknife is a blend of contemporary, traditional and distinctive forms.

However, the quaint houseboats on Yellowknife Bay that live off the grid are a source of some tension in the community.

Yellowknife, Northwest Territories

À l'instar de ses habitants et sa culture, l'architecture de Yellowknife est unique et offre un mélange de styles contemporains, traditionnels et particuliers.

Cependant, les pittoresques maisons qui flottent dans la baie de Yellowknife Bay et qui sont habitées par des gens qui ont tourné le dos à la terre ferme ne font pas l'unanimité dans la communauté.

Yellowknife, Territoires du Nord-Ouest

Iqaluit homes roll with the terrain, facing Frobisher Bay and the inuksuk marking this gateway to the north.
Iqaluit, Nunavut

Face à la baie de Frobisher, les habitations d'Iqaluit suivent le relief tandis qu'un inuksuk indique le passage vers le Nord.
Iqaluit, Nunavut

Stunning vistas at Glacier Lake greet those who come by floatplane for the magnificent experience of the Ragged Range and the Cirque of the Unclimbables, which became part of the Nahanni National Park Reserve during its 2009 expansion.
Nahanni National Park Reserve, Northwest Territories

Une vue imprenable attend ceux qui arrivent en hydravion jusqu'au lac Glacier. Ils découvriront la splendeur de la chaîne Ragged et du Cirque of the Unclimbables qui font désormais partie de la réserve de parc national Nahanni depuis son expansion.
La réserve de parc national Nahanni, Territoires du Nord-Ouest

FOLLOWING PAGES | PAGES SUIVANTES

Northern Lights streak across the sky, bathing the river in shifting green shadows. The incredible light display is a perennially breathtaking seasonal attraction.
Fort Simpson, Northwest Territories

Les aurores boréales entreprennent leur danse céleste et enveloppent la rivière d'un voile lumineux et vert. Ce splendide spectacle de lumières demeure une attraction saisonnière renversante.
Fort Simpson, Territoires du Nord-Ouest

Hardy trekkers pursuing uncommon thrills find heavenly views of glaciers and Pangnirtung Fjord, which merges with Cumberland Sound. The path is well-marked by inuksuks.
Qikiqtaaluk Region, Nunavut

Des randonneurs aguerris en quête de sensations nouvelles découvriront une vue époustouflante sur les glaciers et le fjord Pangnirtung qui rejoignent la baie Cumberland. Le sentier est bien balisé par des inuksuks.
Région de Qikiqtaaluk, Nunavut

C-FNEQ

The airport in Pangnirtung opened in 2006. The airstrip and town both follow the topography, running alongside majestic mountains.
Pangnirtung, Nunavut

L'aéroport de Pangnirtung a ouvert ses portes en 2006. La piste d'atterrissage ainsi que la ville suivent la topographie et longent les montagnes majestueuses.
Pangnirtung, Nunavut

The nose of a Buffalo Airways craft pushes toward the runway in Hay River. From a seasonal Slavey fishing camp in the late 1800s, this town has grown into "the hub of the north."

Hay River, Northwest Territories

La tête d'un avion de la compagnie Buffalo Airways fait face à la piste d'atterrissage de Hay River. À la fin des années 1800, ce lieu qui était un camp de pêche des Slavey est devenu la « ville carrefour du Nord ».

Hay River, Territoires du Nord-Ouest

Birdwatching opportunities abound all year in the Qikiqtaaluk region. Nesting grounds find security on tundra ponds and rare Arctic species find a haven in this territotry.

Near Hall Beach, Nunavut

Peu importe la saison, les passionnés d'ornithologie seront gâtés dans la région de Qikiqtaaluk. Des espèces rares de l'Arctique s'y refugient en raison des étangs de la toundra qui constituent d'excellentes aires de nidification.

Près de Hall Beach, Nunavut

Interesting snow formations contribute to a wonderland of shapes and sparkles.

Near Hall Beach, Nunavut

Ces formes dans la neige participent à la féérie hivernale tout en silhouettes et scintillements.

Près de Hall Beach, Nunavut

The clear, deep expanse of Great Slave Lake is dotted with thousands of small islands over its 27,200-square-kilometre (10,502-square-mile) area.

Near Yellowknife, Northwest Territories

Le Grand lac des Esclaves couvre une superficie de 27 200 kilomètres carrés (10 502 milles carrés). Ses eaux limpides et profondes sont parsemées de milliers de petites îles.

Près de Yellowknife, Territoires du Nord-Ouest

Easily accessible from the Waterfall Highway, thundering Lady Evelyn Falls delivers a fine mist to cool visitors and create an enchanting rainbow.
Lady Evelyn Falls Territorial Park, Northwest Territories

Les chutes Lady Evelyn sont facilement accessibles par la route des Chutes. La bruine qu'elles dégagent rafraîchit les visiteurs et leur offre souvent un magnifique arc-en-ciel.
Parc territorial Lady Evelyn Falls, Territoires du Nord-Ouest

Precipitous spires and sheer walls reach skyward to form the Cirque of the Unclimbables. The Lotus Flower Tower may be the best-known peak of this spectacular skyline for serious climbers who come to challenge their personal best.
Nahanni National Park Reserve, Northwest Territories

Des sommets et des parois abruptes se dressent vers le ciel et forment le Cirque of the Unclimbables. Les alpinistes aguerris viennent se mesurer à la tour de la Fleur de Lotus qui est peut-être le plus célèbre sommet de ce spectaculaire panorama.
La réserve de parc national Nahanni, Territoires du Nord-Ouest

Komatiks are lined up along the shore at Pond Inlet. Pulled by dog teams in the past, these widely used traditional Inuit sleds are now also towed by snowmobiles.
Pond Inlet, Nunavut

Des *komatiks* sont alignés sur la grève de Pond Inlet. Très appréciés des Inuits, ces traîneaux traditionnels étaient autrefois tirés par des chiens. Aujourd'hui, la motoneige a remplacé les chiens.
Pond Inlet, Nunavut

A sled for towing or hauling loads is fashioned from a toboggan.
Colville Lake, Northwest Territories

Un toboggan a été transformé en traîneau pour transporter des charges.
Colville Lake, Territoires du Nord-Ouest

An Inuk elder in Tulita is part of the indigenous culture that was traditionally an oral one. The elders are revered for their knowledge and wisdom.
Tulita, Northwest Territories

Ce membre âgé de la communauté inuite de Tulita s'inscrit dans la tradition de transmission orale de la culture autochtone. Les aînés sont révérés pour leur savoir et leur sagesse.
Tulita, Territoires du Nord-Ouest

An experienced outfitter, Joavie Alivaktuk has long been taking visitors safely on Northern adventures year round.
Pangnirtung, Nunavut

Joavie Alivaktuk est un pourvoyeur chevronné et prudent qui, depuis longtemps et en toute saison, sert de guide lors des expéditions dans le Nord.
Pangnirtung, Nunavut

A consummate hunter, Don Payne loves the lifestyle of the unspoiled North.
Trout Lake, Northwest Territories

Chasseur accompli, Don Payne adore le mode de vie de ce Nord encore vierge.
Trout Lake, Territoires du Nord-Ouest

A surreal blue landscape shows the extensive depths of Davis Strait between Greenland and Baffin Island. First explored by English navigator John Davis in 1585, they marked the search for the Northwest Passage.
Near Qikiqtarjuaq, Nunavut

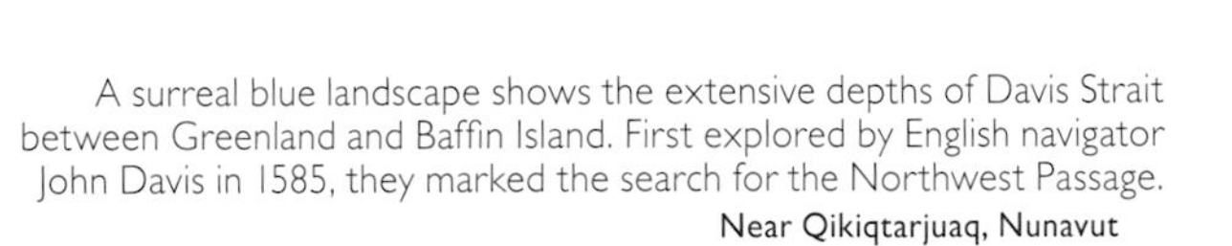

Ce paysage bleu surréaliste montre la vaste étendue du détroit de Davis, entre le Groenland et l'île de Baffin. À la recherche du passage du Nord-Ouest, le navigateur anglais John Davis fut le premier à explorer le détroit en 1585.
Près de Qikiqtarjuaq, Nunavut

Réginald Poirier seeks shelter in a *komatik* after a lengthy shoot.

Réginald Poirier trouve refuge dans un *komatik* après une longue séance de photos.

Chilling encounter: polar bear in Qikiqtarjuaq

Coming eye to eye with a polar bear mom protecting her cubs in the frozen Arctic is no picnic. But it makes for a hair-raising adventure worth telling for years to come.

> ...when mama bore down on us, communication was a problem.

On a sunny spring day at a temperature of -25°C (-13°F) my assistant, Réginald, and I began a harrowing arctic escapade with five hours of hunting for photogenic polar bears – after enticing an Inuk guide to take us into this dangerous territory. We knew we were in the right neighbourhood when we spotted a set of tracks in the snow from a mother bear and two cubs. It took another three hours of following the meandering paw prints on the guide's *komatik* (traditional Inuit sled) hauled by a snowmobile to find the little family frolicking in the distance.

With frozen fingers, I excitedly prepared my camera and a very long lens as we began stalking the bears. Circling them for half an hour – with me on the sled towed by the snowmobile – we drove mom into protection mode. Every time we got within six metres (20 feet), she charged at us – and her giant strides quickly brought her so close I could almost touch her. The cubs watched from a safe distance.

While we needed the power of the snowmobile to make a clean getaway when mama bore down on us, communication was a problem. Whenever our guide decided the danger was extreme, he would simply rev up the snowmobile to full throttle without notice, yanking my sled forward. I fell off the back of the *komatik* three times – almost into the jaws of the giant bear.

After 20 minutes of circling, photographing and scrambling, we had exhausted our luck and headed back to Qikiqtarjuaq. Halfway back, the snowmobile ran out of gas. Fortunately, this had not happened within sight of the bear, and we did have a spare can of fuel.

This once-in-a-lifetime experience taught me that, while a polar bear may seem cute and cuddly, she becomes a deadly weapon when she hurtles her 225 kilograms (500 pounds) toward a target in defence of her cubs.

My personal preference is the cute and cuddly version immortalized on the cover of this book.

Polar bears depend on ice floes and a healthy environment.

La banquise et un environnement sain sont essentiels à la survie des ours polaires.

George Fischer wastes no opportunity for a photo after spotting a polar bear.

George Fischer ne rate jamais une occasion de faire une photo d'un ours polaire.

Froid dans le dos : l'ours polaire de Qikiqtarjuaq

Il est déconseillé de se retrouver nez à nez dans l'Arctique avec une maman ourse accompagnée de ses petits. S'il se produit, l'incident donnera un récit digne d'être raconté durant des années.

Un jour de printemps ensoleillé où le thermomètre marquait -25 °C (-13 °F), Réginald et moi avons entrepris un pénible périple de cinq heures à la recherche d'ours polaires photogéniques. Un guide inuit avait accepté de nous accompagner dans cette expédition dangereuse. Des traces laissées dans la neige par une maman ourse et deux petits nous ont confirmé une bonne piste.

Nous étions dans un *komatik* – un traîneau inuit tiré par une motoneige. Nous avons suivi les traces durant trois heures avant d'apercevoir les membres de la petite famille qui s'ébattaient au loin.

Avec mes doigts engourdis par le froid, j'ai préparé mon appareil et un téléobjectif puissant et nous nous sommes approchés. J'étais dans le traîneau tiré par la motoneige. Pendant une demi-heure, nous avons tourné en cercle autour des ours provoquant ainsi chez la maman un réflexe de protection de ses petits. Quand nous arrivions à moins de six mètres (20 pieds), elle fonçait sur nous en de longues enjambées et se rapprochait de sorte que je pouvais presque la toucher. Les petits observaient la scène à distance.

Lorsque la maman fonçait, la puissante motoneige permettait de fuir le danger, mais la communication entre nous laissait à désirer. Chaque fois que le guide décidait qu'il fallait fuir, il lançait la motoneige à plein gaz sans prévenir et mon traîneau était tiré vers l'avant d'un coup sec. J'en suis tombé trois fois – presque dans la gueule de l'ourse géante.

Après plus de 20 minutes à tourner en rond, à faire des photos et à esquiver le danger, nous n'avons pas tenté le sort davantage et nous sommes repartis vers Qikiqtarjuaq. À mi-chemin, la motoneige a manqué d'essence. Nous nous sommes comptés chanceux d'avoir un bidon d'essence en réserve et surtout que la panne ne se soit pas produite lors de notre course-poursuite avec l'ourse.

Cette expérience exceptionnelle m'a appris que l'ourse polaire, qui peut sembler mignonne et câline, devient un bolide mortel quand elle lance ses 225 kilos (500 livres) à la défense de ses petits.

Pour ma part, je préfère la bête mignonne et câline immortalisée dans cette photo.

Frisky polar bear cubs play games with siblings that develop their survival skills.

Les jeux turbulents des oursons polaires sont un apprentissage qui les aidera à survivre dans la nature.

PREVIOUS PAGES | PAGES PRÉCÉDENTES

Eclipse Sound surrounds the awe-inspiring crests of the Arctic Cordillera, isolating Bylot Island from Baffin Island. For thousands of years, this Canadian Arctic Archipelago has supported Inuit fishing and hunting practices.

Near Pond Inlet, Nunavut

Le détroit Éclipse, qui sépare l'île Bylot et l'île de Baffin, encercle les pics de la Cordillère arctique. Depuis des millénaires, cet archipel du Nord canadien est un lieu de pêche et de chasse des Inuits.

Près de Pond Inlet, Nunavut

Art can imitate life as in this case. Seal-hunting is heavily regulated in Canada; however, the Inuit are exempt from the rules as the hunt is important to the subsistence of many communities and to the preservation of their traditional way of life.

Near Pangnirtung, Nunavut

Parfois l'art imite la vie, comme c'est le cas ici. Au Canada, la chasse au phoque est très réglementée. Toutefois, les règles ne s'appliquent pas aux Inuits. Dans beaucoup de communautés, cette chasse assure la subsistance et s'inscrit dans un mode de vie traditionnel.

Près de Pangnirtung, Nunavut

Dramatic sunset radiance and icy shapes create a whimsical image.
Arctic Bay, Nunavut

La lumière magique du crépuscule et les sculptures de glace créent un décor féérique.
Arctic Bay, Nunavut

FOLLOWING PAGES | PAGES SUIVANTES

An overview from "The Rock" displays a magical sky of pinks and purples that reflect in the bay around Old Town.
Yellowknife, Northwest Territories

Une vue d'ensemble depuis « The Rock » montre un ciel féérique teinté de roses et de mauves qui se réfléchit dans la baie aux abords de Old Town.
Yellowknife, Territoires du Nord-Ouest

The Nattinnak Centre celebrates the region's culture, natural beauty and wildlife – and encourages visitors to participate in learning.
Pond Inlet, Nunavut

Le centre Nattinnak est un hommage à la culture, à la beauté naturelle et à la faune de l'Arctique. Il invite les visiteurs à se plonger dans cet univers étonnant.
Pond Inlet, Nunavut

Planning is helpful. If you don't know what you want, you'll seldom get it. But, no matter how well you plan, you will fare better if you expect the unexpected. The unexpected, by nature, comes unseen, unthought, unenvisioned.

All you can do is *plan to go unplanned*, prepare to be unprepared, make going with the flow part of your agenda, for the most successful among us envision, plan, and prepare, but cast all aside as needed, while those who are unable to go with the flow often suffer,

if they survive.

– David W. Jones, Moses and Mickey Mouse: How to Find Holy Ground in the Magic Kingdom and Other Unusual Places

The homes of Qikiqtarjuaq (Inuktitut: *Big Island*), almost blend in with the surrounding boulders of Broughton Island near the Baffin Mountains. Affectionately called "Qik," the community is known for an outstanding clothing industry and excellent Inuit art while the natural habitat boasts incredible Arctic sea life. Visitors can see whales, walruses and seals – and in the right season, guides can take them to see polar bears.

Qikiqtarjuaq, Nunavut

À Qikiqtarjuaq (*Grosse île* en inuktitut), les habitations se confondent presque avec les rochers de l'île Broughton située à proximité des monts Baffin. Surnommé « Qik », ce hameau est célèbre pour la qualité de ses œuvres d'art et les vêtements qu'on y fabrique. C'est aussi un lieu propice à l'observation de mammifères marins tels que la baleine, le morse et le phoque. En saison, des guides proposent des expéditions d'observation des ours polaires.

Qikiqtarjuaq, Nunavut

The Wrigley River zig-zags through lush rolling hills on the way to the Mackenzie River, which continues to its mouth at the Beaufort Sea and into the Arctic Ocean.

Near Wrigley, Northwest Territories

La rivière Wrigley serpente à travers des collines verdoyantes en direction du fleuve Mackenzie qui poursuivra sa course jusqu'à la mer de Beaufort et l'océan Arctique.

Près de Wrigley, Territoires du Nord-Ouest

A watershed for the Mackenzie River and the Yukon River, the Mackenzie Mountains shelter many rare antecedent rivers. Unlike most rivers, which are diverted by mountains, these maintained their course while the mountains were pushed up.

Near Fort Simpson, Northwest Territories

Basin hydrologique des fleuves Mackenzie et Yukon, les monts Mackenzie s'y déversent par de nombreux autres cours d'eau. Contrairement à la plupart des rivières qui sont déviées par la présence des montagnes, celles-ci ont poursuivi leur course.

Près de Fort Simpson, Territoires du Nord-Ouest

Il est utile de planifier. Si vous ne savez pas ce que vous voulez, il est peu probable que vous l'obteniez. Cependant, même si vous planifiez avec soin, tout ira mieux pour vous si vous êtes prêt pour l'imprévu. L'imprévu survient sans crier gare. Il est irréfléchi et inattendu.

Il ne vous reste plus qu'à *planifier de ne pas l'être,* vous résigner à ne pas être préparé et suivre le courant. Ceux de nous qui réussissent le mieux font des plans et se préparent, mais acceptent de mettre tout cela de côté au besoin. Ceux qui ne peuvent pas suivre le courant en souffrent...

s'ils arrivent à survivre.

– David W. Jones, Moses et Mickey Mouse : Comment trouver une Terre sainte dans le Royaume magique et d'autres lieux insolites

Hay River rushes over the distinct contour of Louise Falls on its route to Great Slave Lake. Beginning in Alberta, Hay River swings through British Columbia and Alberta again before heading home to the Northwest Territories.

Twin Falls Gorge Territorial Park, Northwest Territories

La rivière Hay dévale l'escarpement de la chute Louise et poursuit son cours jusqu'au Grand lac des Esclaves. Prenant sa source en Alberta, la rivière Hay passe par la Colombie-Britannique et revient en Alberta avant de se diriger vers les Territoires du Nord-Ouest.

Parc territorial Twin Falls Gorge, Territoires du Nord-Ouest

FOLLOWING PAGES | PAGES SUIVANTES

A solitary iceberg floats along Canada's northern extremity, most likely calved from the Greenland Ice Sheet, which contains 12 percent of the world's glacier ice.

Eclipse Sound, Nunavut

Un iceberg solitaire flotte au large de la frontière nord du Canada. Il s'est sans doute détaché de l'inlandsis du Groenland qui représente 12 % de la masse glaciaire de la planète.

Détroit d'Eclipse, Nunavut

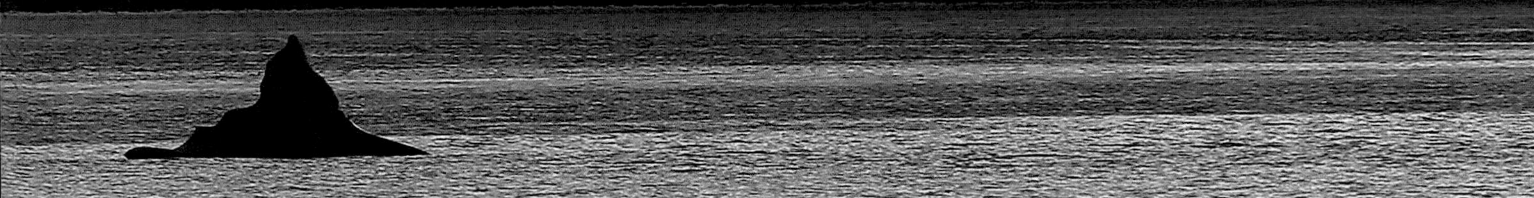

Sunrise greets a fisherman and his companion as they anticipate a good catch of the day in the fertile fishing grounds around Dorset Island and Mallik Island.
Cape Dorset, Nunavut

Le lever du soleil accueille un pêcheur et son compagnon qui entament leur journée de pêche. La pêche sera bonne dans les eaux fertiles autour des îles Dorset et Mallik.
Cape Dorset, Nunavut

FOLLOWING PAGES | PAGES SUIVANTES

Looking toward Auyuittuq National Park on eastern Baffin Island, celebrated worldwide for pristine arctic exploration, the commanding mountains and sweeping glaciers entice hikers, snowmobilers, skiers and climbers with uniquely memorable experiences.

Pangnirtung, Nunavut

Vue sur le parc national Auyuittuq situé sur la portion est de l'île de Baffin. Ce parc est mondialement connu et les visiteurs viennent de partout découvrir les régions encore vierges de l'Arctique, les montagnes spectaculaires et les immenses glaciers. Un véritable paradis pour les randonneurs, les motoneigistes et les alpinistes en quête d'expériences mémorables.

Pangnirtung, Nunavut

The hamlet of Igloolik (Inuktitut: *place of igloos*) nestles on the northeastern corner of Melville Peninsula at the entrance to Fury and Hecla Strait. Deeply rooted in tradition, the people are determined to sustain cultural roots that have been passed down over thousands of years.

Igloolik, Nunavut

Le hameau d'Igloolik (*lieu des igloos* en inuktitut) est niché à l'extrémité nord-est de la péninsule Melville, à l'embouchure du détroit de Fury and Hecla. Profondément attachée à ses traditions, cette communauté s'applique à perpétuer la mémoire culturelle qui leur est transmise par leurs ancêtres depuis des millénaires.

Igloolik, Nunavut

George Fischer

Iqaluit, Nunavut

George Fischer is one of Canada's most renowned and prolific landscape photographers. He has produced over 50 books, 50 art posters and numerous prints. George's work has appeared on the covers of countless international magazines and newspapers, and in the promotional publications of tourism agencies around the world. His two most recent publications, *Canada in Colour / en couleurs* and *Exotic Places & Faces*, are stunning compilations of his extensive travels. George's book entitled *Unforgettable Canada* was on *The Globe and Mail*'s bestseller list for eight weeks and sold over 50,000 copies. Other titles in the Unforgettable series include: *Unforgettable Tuscany & Florence, Unforgettable Paris Inoubliable, Unforgettable Atlantic Canada, The 1000 Islands – Unforgettable*, and *Les Îles de la Madeleine Inoubliables*. Currently George is working on a few new books including *Iceland, Reflections on the Ring Road* and *Saskatchewan – Spirit of the Heartland*. He resides in Toronto, Canada.

George Fischer est l'un des photographes paysagers les plus célèbres et les plus prolifiques du Canada. Il a réalisé plus de 50 livres, 50 affiches artistiques et de nombreux tirages. Les œuvres de George ont fait la couverture d'une multitude de magazines, de journaux internationaux et de documents publicitaires de bureaux de tourisme à travers le monde. Ses deux récents ouvrages *Canada in Colour/en couleurs* et *Exotic Places & Faces* représentent une compilation époustouflante de ses innombrables expéditions. Son livre *Unforgettable Canada* a été sur la liste des best-sellers du journal *The Globe and Mail* durant huit semaines et s'est vendu à plus de 50 000 exemplaires. La série Unforgettable comprend notamment *Unforgettable Tuscany & Florence, Unforgettable Paris Inoubliable, Unforgettable Atlantic Canada, The 1000 Islands – Unforgettable* et *Les Îles de la Madeleine Inoubliables*. George s'affaire actuellement à la réalisation de nouveaux ouvrages dont *Iceland, Reflections on the Ring Road* et *Saskatchewan – Spirit of the Heartland*. George Fischer réside à Toronto, au Canada.

Jean Lepage

Inuvik, Northwest Territories
Inuvik, Territoire du Nord-Ouest

Born in Sablé-sur-Sarthe, France, Jean-Louis Lepage traveled extensively across Europe between the ages of 18 and 25. He came to Canada in 1966, settling first in Montréal for 18 months, then moving to Toronto. Jean-Louis has visited at least one different country every year for the past 25 years, and over his lifetime has seen more than 85 countries. Since 1991, he has worked as George Fischer's assistant on more than 40 photography books featuring various countries. He likes to travel to the mountainous regions of Mexico in the winter and Europe in the fall. His home base is Toronto, Canada.

Jean-Louis Lepage est né à Sablé-sur-Sarthe, en France. Entre l'âge de 18 et 25 ans, il a beaucoup voyagé partout en Europe. Arrivé au Canada en 1966, il a vécu à Montréal pendant 18 mois avant de s'établir à Toronto. Chaque année, depuis 25 ans, Jean-Louis part à la découverte d'au moins un nouveau pays et, à ce jour, il en a visité plus de 85. Assistant de George Fischer depuis 1991, il a collaboré à la production de plus de 40 livres de photos réalisées dans différents pays. En hiver, il privilégie les régions montagneuses du Mexique et, en automne, les pays d'Europe. Il réside à Toronto, au Canada.

Sylvia Grinnell Territorial Park, Iqaluit, Nunavut
Parc territorial Sylvia Grinnell, Iqaluit, Nunavut

Réginald Poirier was born on Les Îles de la Madeleine. His Acadian roots doubtless account for his abiding love of the sea – and his decision to study agronomy at Montréal's McGill University. For the past 20 years, this Madelinot has been a co-owner of Domaine du Vieux Couvent, a superb small hotel located on Les Îles. George and Réginald met 28 years ago and became instant friends. It is Réginald's deep-seated penchant for adventure that has led this hotel-keeper to accompany his photographer friend on a number of expeditions.

De souche acadienne, Réginald Poirier est né aux Îles de la Madeleine. C'est sûrement ce qui explique son amour profond de la mer et sa décision de poursuivre des études en agronomie à l'Université McGill de Montréal. Depuis 20 ans, ce Madelinot est copropriétaire du Domaine du Vieux Couvent, un magnifique petit hôtel situé aux Îles. Il y a 28 ans, George et Réginald se sont rencontrés et se sont immédiatement liés d'amitié. C'est sa soif d'aventures et de découvertes qui a incité cet hôtelier à accompagner son ami photographe lors de nombreuses expéditions.

CO-OP Arctic Co-operatives Limited

ACKNOWLEDGMENTS:

First and foremost, I would like to thank the sponsors who made this endeavour possible:

Cary Green, Hanita Braun, Jessica Green and Amy Harrington from Verdiroc Corporation – who always believe in my book projects.

Lilian Choi from Arctic Co-operatives – for providing a home away from home (including great food) with accommodations at the Inns North hotels.

Kevin Spreekmeester and Natalie Tachdjian from Canada Goose Inc. My body – especially the tips of my fingers and the top of my head – thank you for keeping me and my assistants toasty warm whatever the weather threw at us.

To Lisa Hicks, Gail Quinn and all the wonderful crew and agents from Canadian North airlines who transported my crew throughout the Arctic – on time and in comfort.

To Ted Grant from Simpson Air who first introduced me to the beauty and wonder of Canada's exotic northern landscapes, and who has become a good friend.

For allowing me to record their customs and traditions, I would like to thank: Daniel Manning from Cape Dorset; Pii Sheojuk Toonoo; Gena Toonoo; Elaija Mangitak; the throat-singers in Cape Dorset. Special thanks to Kristiina Alariaq from Huit Tours for making this possible on such short notice, and for an amazing stay at the Dorset Suites Hotel.

Thanks also go to Daniel Vatcher and Jean Willcotte for the use of their ATV in Clyde River; Pond Inlet's Louise England and Cyndi Morton for modelling amazing "glamour" shots at the Arctic Co-operatives and Inns North; and David Aqqiaruq for taking me on a magical tour of ice sculptures in Foxe Basin.

To the staff at the Prime Minister's Office I am grateful to Sandra Berringer, Brooke Huestis and Salpie Stepanian for co-ordinating and providing the preface by Prime Minister Stephen Harper.

As always, thanks to Catharine Barker for another magnificent book design; to E. Lisa Moses for impeccable writing and copy editing; to Line Thériault and Guy Thériault for exemplary translation; and to Jean Lepage and Réginald Poirier for their invaluable assistance and good company.

REMERCIEMENTS :

En tout premier lieu, je tiens à remercier les commanditaires qui ont rendu ce projet possible :

Cary Green, Hanita Braun, Jessica Green et Amy Harrington de Verdiroc Corporation – qui me réitèrent leur confiance à chaque projet de livre.

Lilian Choi d'Arctic Co-operatives, qui m'a offert un deuxième chez-moi (et d'excellents repas) dans les hôtels Inns North.

Kevin Spreekmeester et Natalie Tachdjian chez Canada Goose Inc. : Mon corps et plus particulièrement le bout de mes doigts et ma tête – de même que mes assistants – vous remercient de les avoir gardés bien au chaud peu importe les conditions extrêmes.

Lisa Hicks, Gail Quinn et les merveilleux équipages et agents de la compagnie aérienne Canadian North, qui ont assuré notre transport aux quatre coins de l'Arctique – toujours à l'heure et en tout confort.

Ted Grant chez Simpson Air, qui a été le premier à me faire découvrir la beauté et les merveilles des paysages exotiques du Nord canadien, et qui est devenu un bon ami.

Pour m'avoir permis de préserver en photo leurs coutumes et traditions, je remercie Daniel Manning de Cape Dorset, et les chanteuses de gorge Pii Sheojuk Toonoo, Gena Toonoo et Elaija Mangitak, également de Cape Dorset. J'adresse un remerciement tout particulier à Kristiina Alariaq de Huit Tours qui, dans un délai très court, a rendu les choses possibles et organisé un excellent séjour au Dorset Suites Hotel.

Merci à Daniel Vachter et Jean Willcotte pour l'usage de leur VTT à Clyde River. Merci à Louise England et Cyndi Morton, de Pond Inlet, d'avoir servi de mannequins lors des séances de photos qui ont eu lieu à Arctic Co-operatives et au Inns North. Merci à David Aqqiaruq, qui m'a emmené voir de merveilleuses sculptures de glace dans le bassin de Foxe.

Merci au personnel du bureau du premier ministre et, particulièrement, à Sandra Berringer, Brooke Huestis et Salpie Stepanian de leurs efforts de coordination et de m'avoir fourni la préface signée par le premier ministre Stephen Harper.

Comme toujours, un grand merci à Catharine Barker qui a réalisé un autre livre splendide. Merci à E. Lisa Moses pour sa plume impeccable et sa révision de textes. Merci à Line Thériault et Guy Thériault pour une traduction exemplaire. Et merci à Jean Lepage et Réginald Poirier de leur aide précieuse et leur excellente compagnie.

Sustained economically by hunting and trapping, the hamlet of Tuktoyaktuk (Inuktitut: *reindeer that looks like caribou*) is known for handicrafts carved from bones and antlers.
Tuktoyaktuk, Northwest Territories

Le hameau Tuktoyaktuk (*semblable au caribou* en inuktitut) dépend de la chasse et de la pêche pour sa subsistance économique. Cet endroit s'est forgé une solide réputation grâce à l'artisanat qui y est réalisé avec des os et des panaches.
Tuktoyaktuk, Territoire du Nord-Ouest

The Harold Green Building
121 Parkway Forest Drive, Toronto

The roots of Verdiroc Development Corporation and Greenwin Inc. stretch back to the late 1940s, when the Greenwin Construction Company was first founded by Lipa Green and Arthur Weinstock to build single-family homes in Toronto.

In the early 1950s, Greenwin began residential development in Don Mills – one of Toronto's first suburban satellite communities. From there, we began building multi-unit residential properties. In the 60s and 70s, we built more than 10,000 residential units, including single-family homes, condominiums, rental apartment complexes and affordable housing.

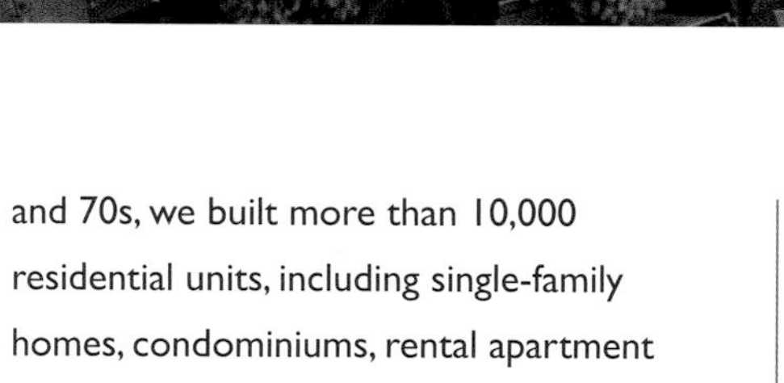

Since its inception in 1978 by the late Harold Green, Verdiroc has transformed Toronto's skyline through its involvement in a wide range of projects, including some of the city's most iconic properties, including midtown's Castle Hill townhomes, The Ports condominiums at Yonge and St. Clair, and Queen's Park Place in the Bay Street corridor.

With its Hospital Consulting Division, Verdiroc has been instrumental in the redevelopment and enhancement of many of Toronto's leading hospitals. These include Mount Sinai Hospital, Scarborough Hospital, Princess Margaret, Wellesley Hospital, and North York General Hospital.

The principals of Verdiroc are also the owners of Greenwin Inc., which is one of Canada's largest privately owned multi-unit residential asset and property management firms. Headquartered in Toronto, the company has a combined staff of 500-plus

employees who professionally manage the day-to-day operations of our clients' assets. The Greenwin brand, which is renowned in the property management field, is featured proudly and prominently throughout the residential and commercial marketplaces of central Canada.

Together, Verdiroc and Greenwin continue to change the face of urban Canada, operating on a time-tested foundation of innovation, integrity and hands-on involvement that's rooted in an enduring family heritage.

verdiroc.com

greenwin.ca

L'IMMEUBLE HAROLD GREEN
121, chemin Parkway Forest, Toronto

L'origine de Verdiroc Development Corporation et de Greenwin Inc. remonte à la fin des années 1940, lorsque Lipa Green et Arthur Weinstock fondént Greenwin Construction Company en vue de construire des maisons unifamiliales à Toronto.

Au début des années 1950, Greenwin lancé un projet d'aménagement résidentiel à Don Mills – une des premières communautés périphériques de Toronto. Par la suite, nous avons construit des immeubles résidentiels à logements multiples. Au cours des années 1960 et 1970, nous avons construit plus de 10 000 unités résidentielles de toutes sortes : maisons unifamiliales, immeubles en copropriété, immeubles d'appartements en location et logements abordables.

Depuis sa fondation en 1978 par feu Harold Green, Verdiroc a transformé le paysage urbain de Toronto en participant à de nombreux projets qui ont doté la ville de propriétés emblématiques, notamment les maisons de ville Castlehill, au centre-ville, les condominiums Ports, à l'angle de Yonge et St. Clair, et Queen's Park Place, dans le couloir de la rue Bay.

La division de services-conseils hospitaliers de Verdiroc a joué un rôle clé dans le réaménagement et la mise en valeur de nombreux grands hôpitaux de Toronto, dont le Mount Sinai Hospital, Scarborough Hospital, Princess Margaret, Wellesley Hospital et North York General Hospital.

Les dirigeants de Verdiroc sont aussi propriétaires de Greenwin Inc., l'une des plus grandes sociétés privées du Canada dans le domaine de la gestion de propriétés et d'immeubles résidentiels à logements multiples. Au siège social de Toronto, plus

de 500 employés contribuent à la gestion au quotidien des propriétés de nos clients. La marque Greenwin est renommée dans le domaine de la gestion immobilière et elle s'affiche fièrement dans les marchés résidentiels et commerciaux du centre du Canada.

Ensemble, Verdiroc et Greenwin continuent à transformer le visage urbain du Canada, en s'appuyant sur une fondation solide et éprouvée faite d'innovation, d'intégrité et d'action directe et solidement ancrée dans un patrimoine familial immuable.

verdiroc.com

greenwin.ca

ᓅᒻᒪᒃᑦᓯᐊᕆᑦ

Have a good journey.

Bon voyage !

C01 943